Kesselskrammer Internship

Jihee Lee

AMS

나, Maya (45) Kesselskramer Internship_Ji Hee Lee

KK

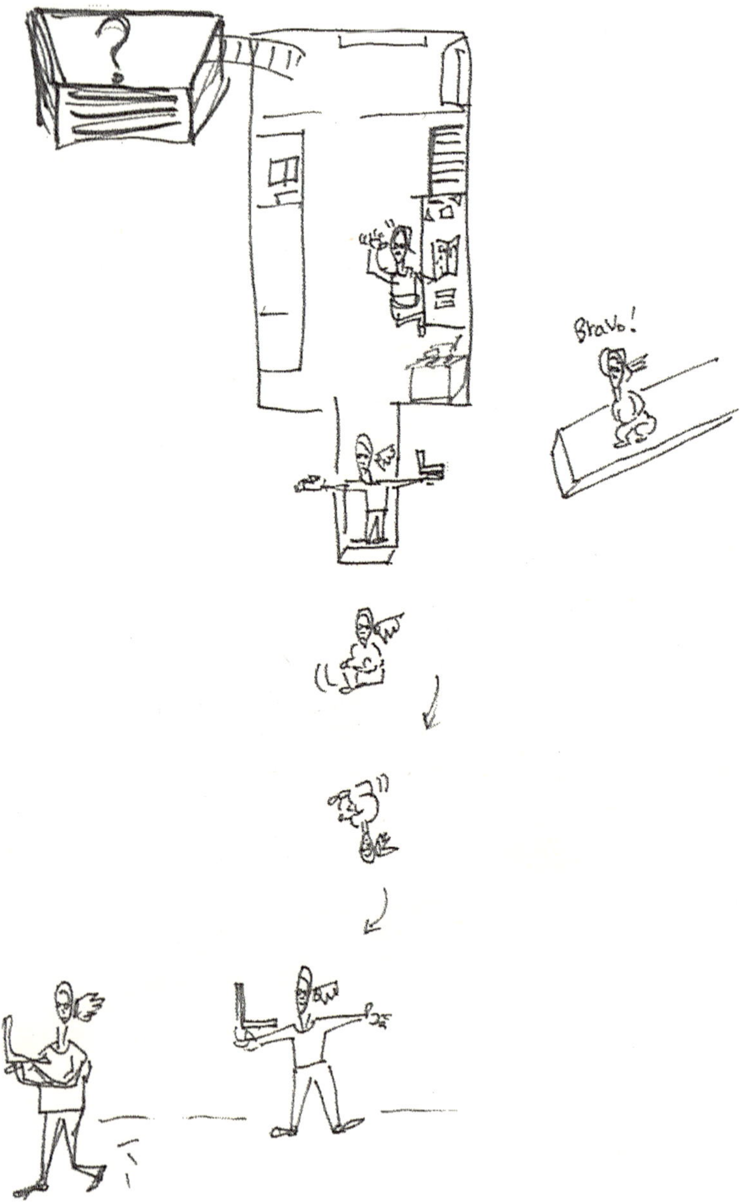
Bravo!

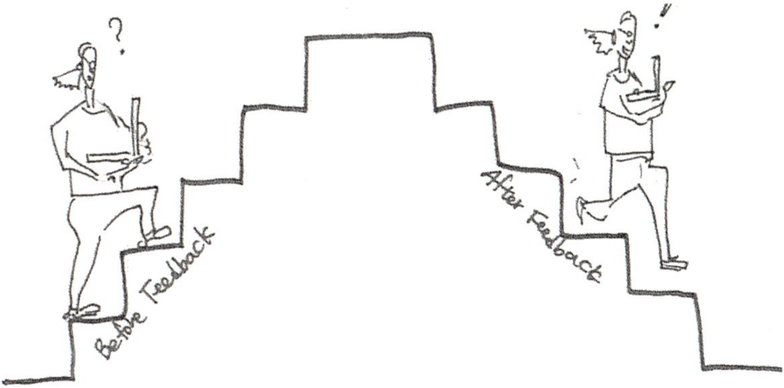
?
Before Feedback
After Feedback

Ben

WORK
HARD
&
BE NICE
TO PEOPLE

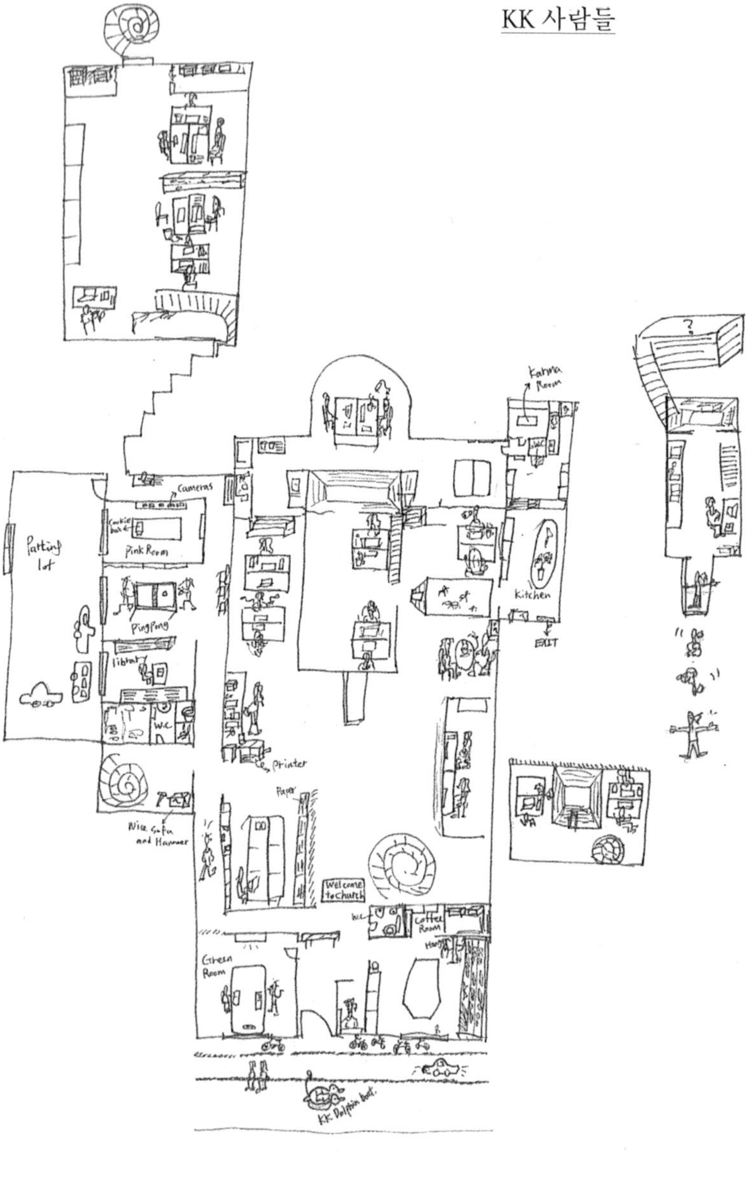
Cameras
Cookie box
Pink Room
Parking lot
PingPong
library
W.C
Nice Sofa and Hammer
Printer
Paper
Welcome to church
Karma Room
Kitchen
EXIT
Green Room
Coffee Room
KK Dolphin boat.

Pieter

피터는 항상 활기차다. 그의 목소리, 심지어 걸음걸이도 활기차다!

Marie

나와 비슷한 또래인데 굉장히 성숙하다. 사람을 만날 때 항상 진지하게 대하는 마리의 자세를 배우고 싶다.

Tialda

처음 티알다를 봤을 때 나와 동갑인 줄 알았다. 최강 동안.

Alex

반면에 알렉스는 이곳에서 오래 일한 줄 알았지만, 우리 회사에서 가장 어리다.

Dafny

사람들은 아주 까만 내 머리카락을 좋아하지만, 나는 밝은 노란색인 다프니의 머리카락이 부럽다.

Laudy

라우디는 오래된 내 아디다스 신발을 좋아해서 모델명까지 적어갔지만, 구하지 못했다(그런데 아직도 못 구했어?).

Esther

나의 커피 메이트. 매일 아침 출근하자마자 에스프레소 방에서 만나 항상 인사를 나눈다.

Stefano

역시 이탈리아 사람은 표정이 다채롭다. 스테파노도 그러하다.

Merel

왜 그런지는 모르겠지만, 나는 항상 '메렐'을 '무렐'이라고 불렀다. 미안해.

Max

알 한쪽은 동그랗고, 한쪽은 네모난 안경을 쓰고 다닌다. 처음 봤을 때부터 비범하다고 생각했다.

Bart

시간과 장소를 가리지 않고 방귀를 뀌는 바트(Bart, Fart).

Kara

중고등학생 때 미국 발음으로 듣기 공부를 해서 그런가. 카라의 영어 발음이 가장 잘 들렸다.

Krista

크리스타는 상냥한 목소리, 선한 눈빛, 착한 마음을 가졌다. Kind Krista at KK.

Rens

셔츠를 좋아하는 렌스. 한 번도 라운드 티셔츠를 입은 모습을 본 적이 없다.

Olaf

매력 있는 중저음 목소리. 이선균 이후 처음 들어보는 동굴 보이스.

Sana

유머 스승님. 그의 유머 감각을 닮기 위해 밤낮으로 웃긴 비디오를 찾아보기도 했다.

Anouk

인턴 중에서 가장 친했던 아눅. 아눅은 키가 커서 옆에 서 있으면 위축되기도 했다.

Daine

50살이 되기 전에 멋진 피겨 스케이팅 선수가 되는 꿈을 꼭 이루었으면!

Rufus

루퍼스는 강아지 피키와 함께 출근한다. 피키도 우리 회사 동료.

Alicia

바로 내 앞에 앉아 동고동락하며 자주 이야기 나누던 알리시아. 옷 잘 입는 인턴.

Cowboys

카우보이는 우리 회사의 인터넷과 통신을 담당하는 가장 멋진 사나이들이다.

Wonder woman

자주 보지는 못했지만, 매일 아침 큰 회사 건물을 청소하는 원더우먼 같은 분. 그래서 항상 궁금했다— I wonder Wonder woman.

Sanne

최근 사너가 임신을 했다(아기가 사너를 닮으면 정말 예쁠 거야).

Matijhis

그가 지나갈 때마다 풍기는 은은한 향수 냄새는 항상 좋다. 익숙한 향인데 이름을 모르겠다.

Elise

유쾌한 엘리사 옆에 있으면 우울했던 나도 순간 기분이 좋아진다.

Martini

이렇게 완벽한 미소를 가진 사람은 줄리아 로버츠 이후로 처음 봤다.

Marianne

케셀스크라머의 엄마.

Gijs

누텔라 메이트. 비슷한 시간에 누텔라를 찾아서 우리는 누텔라 친구가 되었다. 인턴 끝나는 날, 그는 내게 작별 선물로 누텔라를 주었다.

Natalie

요리를 정말 잘해서 레시피를 물어봤더니 손수 그려주었다.

Lotte

나탈리와 롯데 음식은 집밥 같았다. 마음이 따뜻해지는 음식을 만드는 재주도 타고나는 것일까?

Erik

시도 때도 없이 울리는 에릭의 휴대폰 소리는 진짜 시끄럽다. 에릭에게 심신 안정에 좋은 새소리 벨 소리를 추천하고 싶다.

Jihee

(가끔 나는 지희가 무슨 말을 하는지 모르겠어)그래, 나야. 미안해 제군들.

kesselskramer

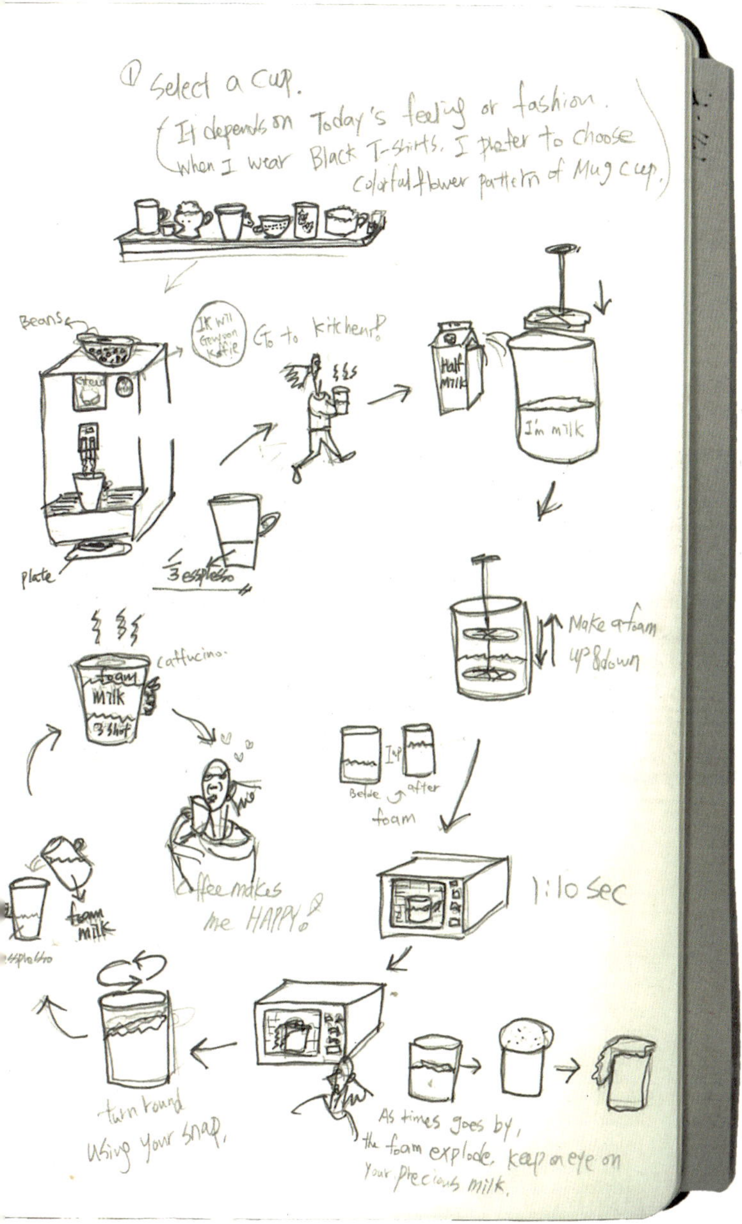
① Select a cup.
(It depends on Today's feeling or fashion.
when I wear Black T-shirts, I prefer to choose
colorful flower pattern of Mug cup.)
Beans
Go to kitchen!
Half Milk
I'm milk
plate
1/3 espresso
Make a foam
up & down
caffucino.
foam
milk
Before after
foam
1:10 sec
Coffee makes
me HAPPY!
foam
milk
turn round
using your snap.
As times goes by,
the foam explode. keep an eye on
your precious milk.

GEREED

KITCHEN!

KITCHEN!

KITCHEN!

CHICKEN!

KITCHEN!

KITCHEN!

KITCHEN!

KITCHEN!

CHICKEN!

KITCHEN!

WILL & KATE & EVA

내 자리는 주방 앞에 있다. 그렇다 보니 발소리만 들어도 누구인지 아는 경지에 올랐다. 피터의 발걸음은 항상 활기차고, 마티니는 구두 소리를 크게 내며 맥스는 주방에 들어가기 전에 늘 원숭이 기계를 누른다.

사람들은 주방에서 크게 웃고 떠들고, 가끔 유리컵을 깨고, 수다 떨고 술 마시고 담배 피우고, 생일 파티를 열고, 매주 월요일마다 회의도 한다. 배가 고프건 고프지 않건 주방은 항상 사람들로 붐빈다.

ARME SPIJZEN
KLOOT
FRIKADELADE
BRAK
PIEMELBOB
NASSI WALM
ANALE HEL
MAL GEHAKT
HALVE CAVIA
BEFBURGER
ARAB
JAMAI
ZEIKBURGER
LASTIG
HIK
KUTSMUJTER
2 PRIEGEL

A.M.

8:50 - 9:30 모닝커피를 만들거나 간단한 아침을 먹는 사람들로 분주함.

10:30 - 11:00 나탈리와 롯데는 이 시각에 두 손 가득 요리 재료를 들고 주방으로 들어감.

11:30 - 12:00 슬슬 허기지는 시간. 사람들이 간단한 스낵을 먹으러 자주 드나든다. 맛있는 음식 냄새가 진동한다.

P.M.

12:25 - 12:30 점심시간. 접시, 포크, 컵을 챙기느라 바쁘다.

12:30 - 13:30 한꺼번에 몰리면 앉을 자리가 없다.
그래서 밖에서 먹거나 바닥에 앉아 먹는 사람이 많음.

17:00 - 18:00 퇴근하기 전에 오늘 쓰던 컵을 갖다 놓으러 들어간다.
이와 동시에 맥주를 마시는 사람도 있음.

gijs van den berg
ewoon
koffie
uli - 28 augustus 2015
olksHotel, Amsterdam
WANTED
Ben
KakeMix
BEER

nutella
FERRERO

점심시간에
사람들이 빼곡히 둘러앉은
타원형 식탁 주변은 항상 분주하다.
빵을 자르고, 다양한 햄과 치즈를 고르고,
오이가 이쪽에서 저쪽으로 옮겨지고,
빵이 이 끝에서 저 끝으로 던져진다.
그래서 점심시간에 가장 많이 듣는 말은
"버터, 소금, 오이, 하얀 치즈, 누텔라,
흰 빵 말고 호밀빵 좀 건네줘."다.
정말 쉴 새 없이 음식이 테이블
위를 왔다 갔다 한다.
정신이 없다.

그래서 내가 생각한 방법은
비슷한 음식 취향을 가진 사람끼리
앉는 것이다. 나랑 라우디, 메렐은
무하마라라는 스프레드를 좋아하고,
다프니와 알리시아는 아보카도랑 요거트
스프레드를 좋아하니까 그렇게 함께 앉으면
음식 건네느라 바쁘지 않을 것이다.
그러나 이렇게 정신없이 빵을 던지고
받는 것도 케셀스크라머의
문화니, 뭐.

나는 주로 네덜란드 친구들에게 "네덜란드 전통 음식이 뭐야?", "암스테르담에 괜찮은 네덜란드식 음식점 좀 소개해줘."라고 물어봤다. 그런데 그때마다 머쓱한 웃음을 지으며 "사실 네덜란드에는 그런 게 없어. 진짜 먹고 싶다면 크로켓이나 양파를 곁들인 하링 또는 스트로프 와플인데, 이것들도 음식이라기보단 스낵이라…."라며 난감해했다. 그래서 나는 네덜란드에는 이탈리아나 독일, 프랑스처럼 대표할 만한 음식이 없는 줄 알았다.

그런데 생각해보니 나는 매일 점심에 네덜란드 음식을 먹고 있었다. 나탈리와 롯데는 수프, 샐러드, 파스타 등을 만드는데, 음식에 넣는 재료나 맛이 이제껏 내가 먹어보지 못한 향과 식감이었다. 특히 수프가 그랬다. 그래서 나는 항상 그들의 레시피가 궁금했다. 내게 수프란 어릴 적 경양식 집에서 먹었던 '크림 스프'가 전부였기에 이렇게 다른 종류의 것을 맛볼 기회가 없었기 때문이다. 카레도 조금 다른데, 코코넛 우유나 설탕을 넣기에 이곳 카레는 조금 더 묽고 달다.

네덜란드 전통 음식은 결국 '네덜란드 사람들이 매일 먹는 음식'일 것이다.

Baba Anoesch

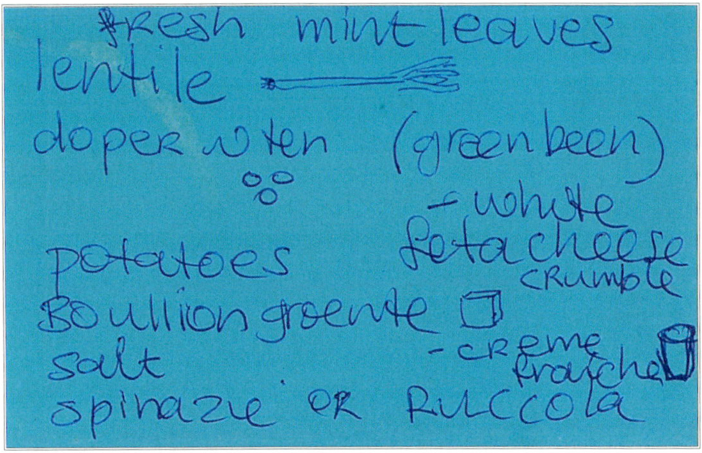
fresh mint leaves
lentile
doper wten (green been)
potatoes
Boullion groente
salt
spinazie OR RUCCOLA
- white feta cheese CRUMBLE
- creme fraiche

나탈리와 롯데가 써준
감자 렌틸콩 수프 조리법

Muhammara
Les Grillades

3.50
HAS MERCAN PATISSERIE
PEYNIRLI PIDE
€4.00
€4.00

P/st 1.00
P/kg 20.00
PISTACHE BAKLAVA
PISTACHIO BAKLAVA

금요일은 주방이 쉬는 날이다. 그래서 우리는 주로 터키 피자를 사 먹는데, 나는 이보다 훌륭한 시금치 피자를 먹어 본 적이 없다.

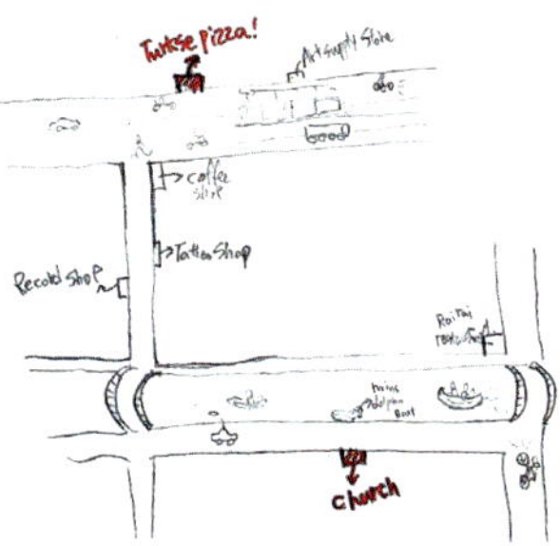

생일 파티 준비

KK

LEKKER!

3. 진짜 케셀스크라머스러운 화장실을 이용하고 싶다면 이 화장실을 추천한다. 공간도 비좁고 재래식 같지만, 나름 매력 있다. 사방에 성모 마리아, 아기 예수 사진이 붙어있다. 볼일을 보며 고해성사를 할 수 있어서 그렇게 개운할 수가 없다.

P.S. 세면대가 항상 말라 있다. 이 화장실을 쓰는 사람들은 손을 안 씻나 보다.

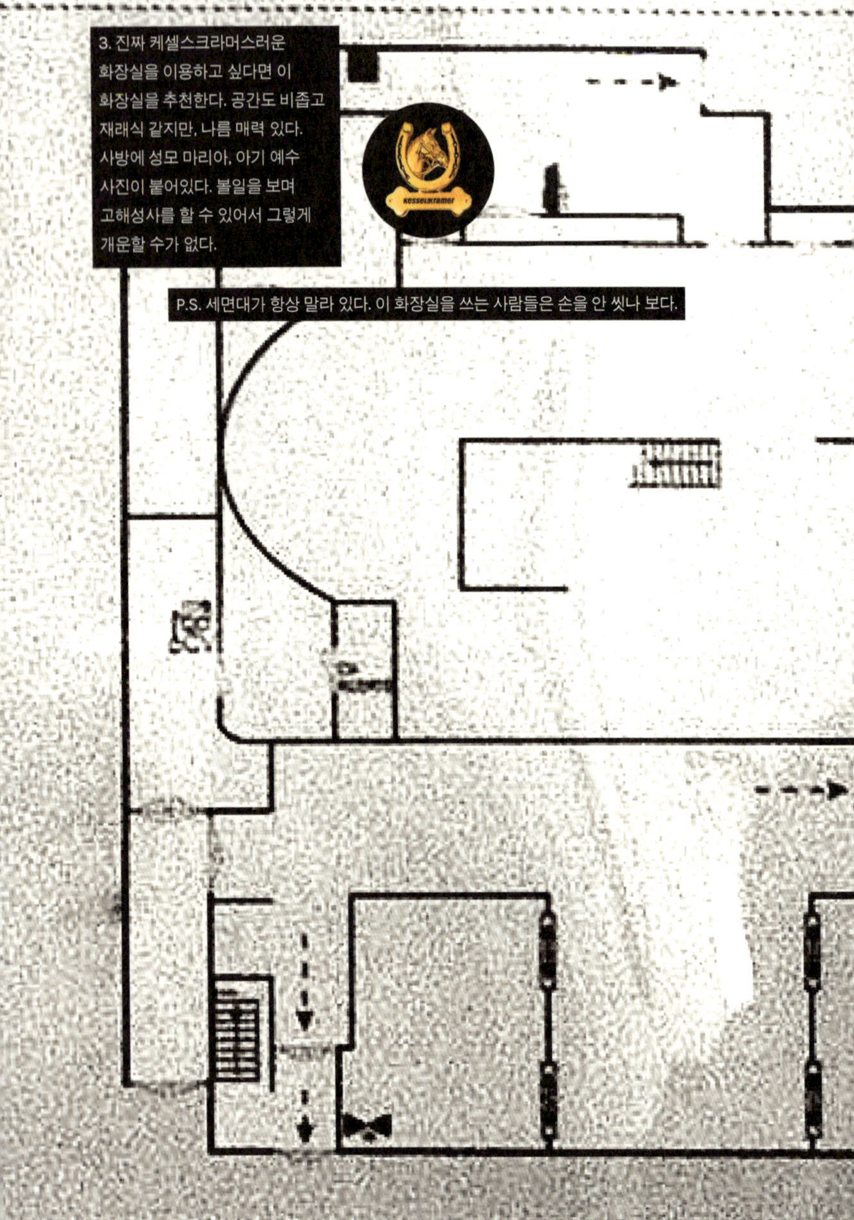

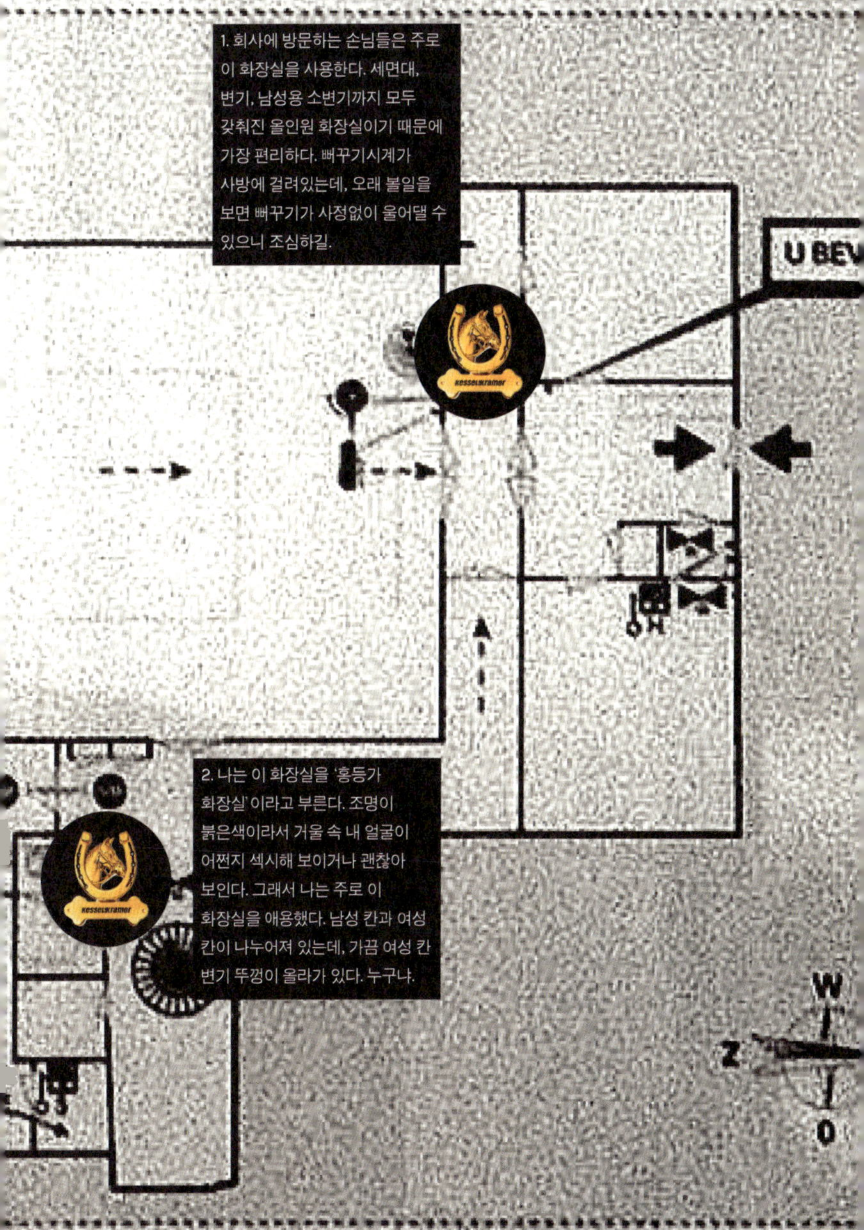

1. 회사에 방문하는 손님들은 주로 이 화장실을 사용한다. 세면대, 변기, 남성용 소변기까지 모두 갖춰진 올인원 화장실이기 때문에 가장 편리하다. 뻐꾸기시계가 사방에 걸려있는데, 오래 볼일을 보면 뻐꾸기가 사정없이 울어댈 수 있으니 조심하길.

2. 나는 이 화장실을 '홍등가 화장실'이라고 부른다. 조명이 붉은색이라서 거울 속 내 얼굴이 어쩐지 섹시해 보이거나 괜찮아 보인다. 그래서 나는 주로 이 화장실을 애용했다. 남성 칸과 여성 칸이 나누어져 있는데, 가끔 여성 칸 변기 뚜껑이 올라가 있다. 누구냐.

MAAS
1921

NOW
FREE KARMA
POINTS
FOR KEEPING
THIS DOOR
CLOSED

KK

Erik

ASK
RECEPTION
TO OPEN THE DOOR

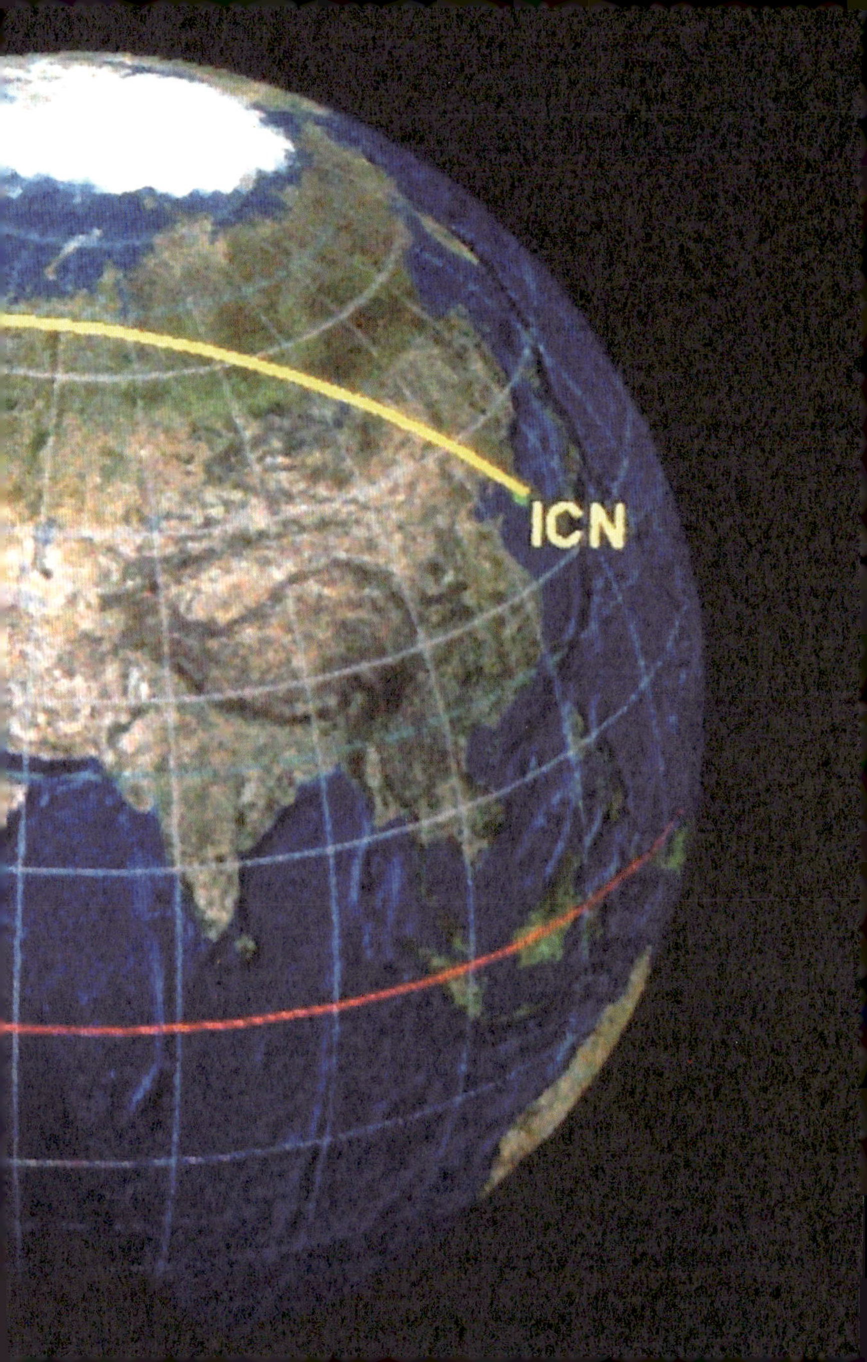
ICN

Kesselskramer Internship
아'담 이브닝②
케셀스크라머 인턴십

지은이 이지희

펴낸날 2017년 12월 4일 초판 1쇄

기획 김병인
편집 박진홍
디자인 둘셋
도서관리 박영희
펴낸이 김병인

ISBN 978-89-97225-42-2
세트 정가 18,600원

(주)퓨처미디어 출판 브랜드 caBooks
cakorea.com
cashop.kr
facebook.com/LikeCA
instagram.com/ca.books

이메일 press@cakorea.com
전화 02-852-5412
팩스 02-852-5417

Ladies and Gentleman,
we have landed at Amsterdam
Schipol international airport.
The local time is 6:54 pm
Sunday December 20th.

Welcome
to
Amsterdam.

I realized that I was a little sad because I had no friends and family in Amsterdam. I wanted to escape the airport as soon as possible. If I had seen someone reuniting with their family with hugs and kisses, I would have cried.

EXIT

AM Shampoo
PM Shampoo

Citizen M
Hotel

Finally, I arrived in my hotel room. I took a shower and sent messages to my friends and family. The room was not bad, but it was completely quiet and empty. When I went to bed, I was very lonely. At that time, I really wanted to go back to South Korea.

21.12.2015 — 22.12.2015

Osdorp
Apartment

When I arrived in Osdorp, I was unsettled. I didn't want to unpack my bags and sleep on the bed. So, I connected 3 chairs and tried to sleep next to the heater. The heater was not warm enough, so I had to put on my heavy jacket. I still couldn't sleep. I could hear explosions and gunfire from outside.

When the sun rose, I decided to leave this apartment. I had spent one horrible night in the apartment for €250, because I had already paid the monthly deposit.

Osdorp

Central

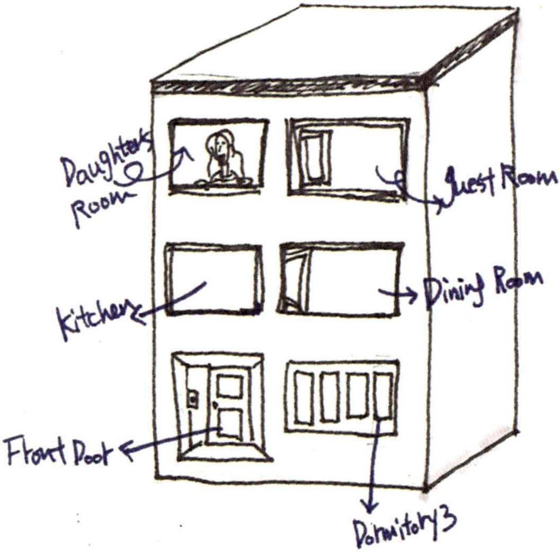
Daughter's Room
Guest Room
Kitchen
Dining Room
Front Door
Dormitory3

Back Yard
Dormitory 1
Dormitory 2
Bath room
Dormitory 3
terrace
Living Room
Kit-chen
Korean BnB owner Family's Room
Bath room
only one guest Room
Daughter's Room
1
2
3

Tulip Minbak

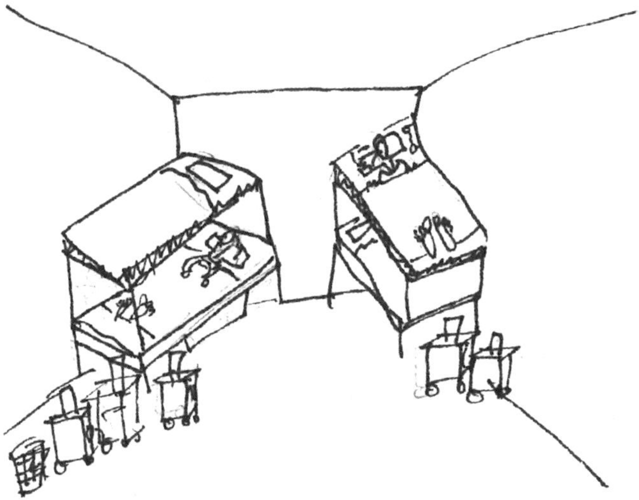

The next day, I looked desperately for another accommodation. I posted my situation to the Korean community in the Netherlands Facebook page. Many people helped me and recommended a Korean B&B, so I contacted the owner.

I moved into the 'Tulip Minbak'(the Korean B&B) in Amstelveen. I had to share a bedroom, toilet, and kitchen with other people, but it was more comfortable than the Osdorp apartment.

22.12.2015 — 26.12.2015

The owner of the B&B invited me to a dinner party, so I had dinner with the owner's relative. She served very delicious Korean food. Actually, it was the first time I had eaten food since I arrived in Amsterdam. The food was really delicious and I ate too much and so I didn't sleep well.

Tulip
Minbak

*

I really appreciated their hospitality!

26.12.2015 — 29.12.2015

University of Amsterdam
Dorm

At that time, it was around the Christmas and New Year's holiday, so there was no room for 3 days at the B&B. I had to find another accommodation. Luckily, I could stay at the University of Amsterdam dormitory. Everything was fine there, but the whole building was empty because of the holidays.

Before I came to Amsterdam, I took for granted how great having a Christmas and New Year's holiday with my family and friends was.

So I wrote some postcards to my family, friends, and teachers.

Merry Christmas
and
Happy New Year!
in Amsterdam

When I walked the streets I could see people having good times with their friends and family in their houses. The light was so warm and people were enjoying the holiday spirit.
But the outside was cold and the sky was dark blue. I wanted to be in the houses with the warm and yellow light.

29.12.2015 — 06.01.2016

Tulip Minbak

I couldn't find a place to stay in for 6 months, so I asked the Korean B&B owner for a booking. However, there was no room from the 26th of December to the 2nd of January because of the holidays.
So, I had to find another accommodation.
I found University of Amsterdam Dormitory for 3 days from the 26th to the 29th, but the problem was I couldn't find an accommodation from the 29th to the 2nd.
I searched all the hostels or cheap hotels in Amsterdam, but they were fully booked.
But I had a good idea.

When I stayed at the Korean B&B, I had met a girl who stayed in a private room and we talked a lot. So I knew that she would be staying through the holidays.
I really don't like to ask difficult favor of others, but I didn't have a choice, so I asked her. Fortunately, I could share her private guest room for 5 days.
There was only one single bed so I had to sleep on the floor, but I didn't mind.
It was better than sleeping outside on the street.

29.12.2015 — 06.01.2016

I really appreciated the B&B owner. When I was desperately looking for a room for 6 months to live, she tried to find a room for me. She knew the Korean community in Amstelveen, so she called her friends and asked for a room for 6 months.

She took me to Sportlaan and showed me a room. My living situation was not really her problem, so I really appreciated her kindness and consideration.

Tulip
Minbak

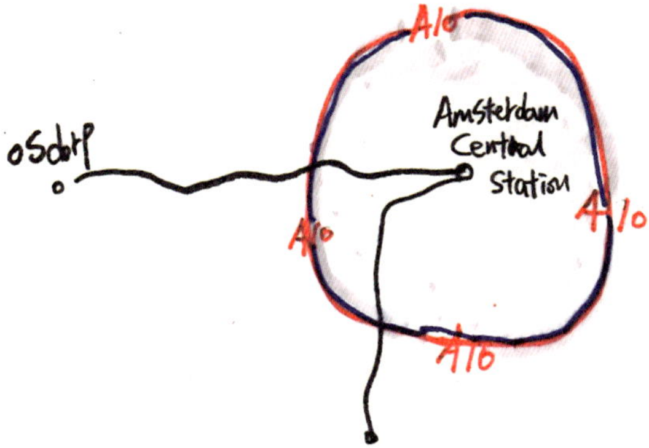

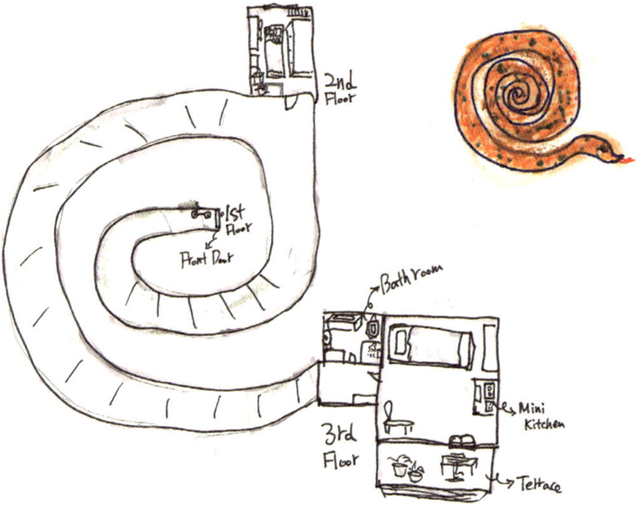
2nd
Floor
1st
Floor
Front Door
Bathroom
Mini
Kitchen
3rd
Floor
Terrace

Amstelveenseweg

I moved to the temporary house in Amstelveenseweg. I had to work from the 11th of January so I really wanted to unpack my bags. The room was very small and there was no bed, but I was happy to have my own space.

However, I had to find a house to live for 6 months in Amsterdam. At first, I thought the maximum rent budget was €400, but I really wanted to have a room as soon as possible, so the maximum rent budget was higher.

Yoshi

Prins Hendrikkade

Finally, I had my own room
in Prins Hendrikkade!
I was living with Janet and Yoshi.

It was big enough, clean enough,
safe enough, and warm enough!

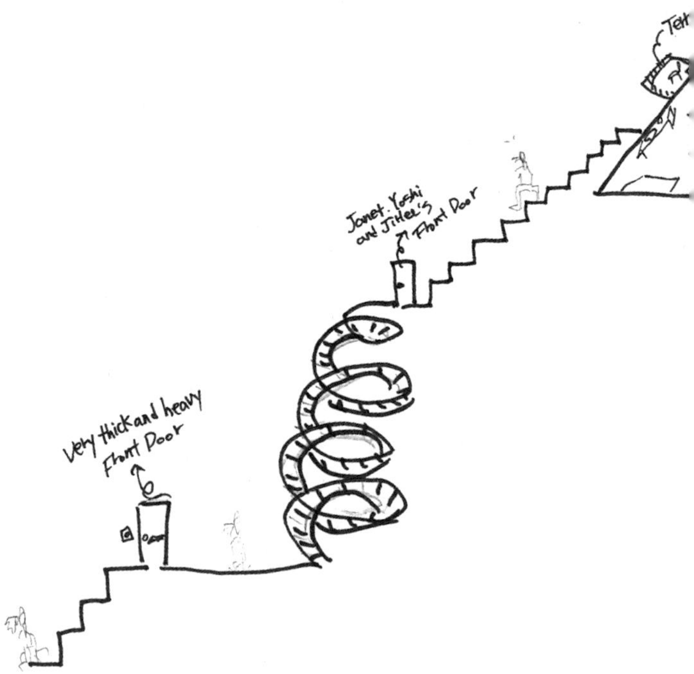
Janet. Yoshi
and JiHee's
Front Door
Very thick and heavy
Front Door

Prins
Hendrikkade

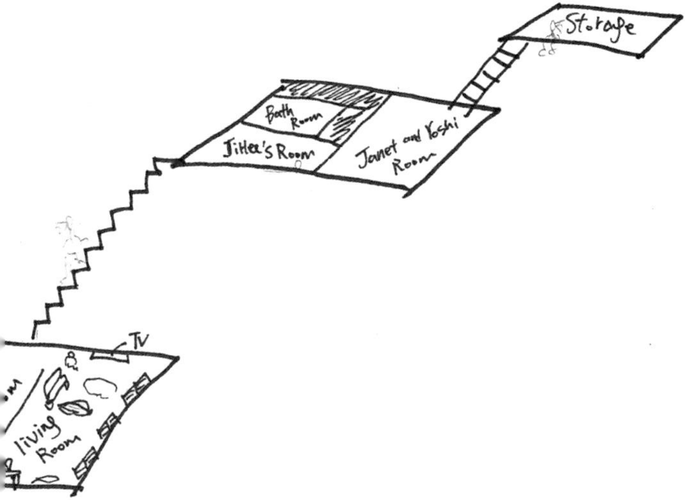

low ceiling...
Window

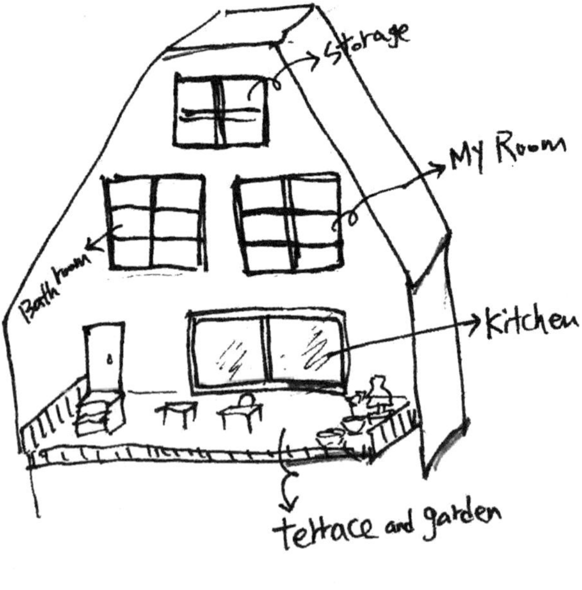
Storage
My Room
Bathroom
Kitchen
terrace and garden

Prins

Hendrikkade

Yoshi

31.01.2016 — Now

Prins
Hendrikkade

Dear Janet & Yoshi,

Sometimes, I wonder what would have happened to me if I hadn't met you in Amsterdam. It was such a pleasure to meet you and I am so thankful to you both. When I visited your home for the first time, I felt that the room was very comfortable and had a warm atmosphere like in my own home back in Korea.

When I felt blue or got homesick, you always gave me good advice and hugs. You helped me overcome my difficulties with your warmth and consideration.

It's insuffcient to just say 'Thank you'. How can I express my true gratitude in words? For me, every moment was a surprise and a gift. It was a precious, tremendous time in my life. Thank you so much for giving me the wonderful opportunity to live with you both in Amsterdam. I will cherish the memory of my time in Amsterdam forever!

Warmest regards,
Jihee

CA BOOKS

Work Scissors Paper No.1

아'담 이브닝 :
이지희 포트폴리오

5

Netherlands Unesco Souvenir A'dam Evening Golden Postbox KesselsKramer

Jihee Lee

lio work Issue

— 2017

The first issue
Work Scissors Paper/

- Netherlands Souvenir
- Beemster Polder Sponge
- Van Nelle Green Tea
- Wadden Sea Earplug
- Rietveld Tape
- Kinderdijk Yoga
- A'dam Evening
- Golden postbox
- Treasure Hunt
- Dear Janet&Yoshi
- A'dam Street photo
- KesselsKramer
- Dutch Veil

Q. How to see?
A. It's up to you.

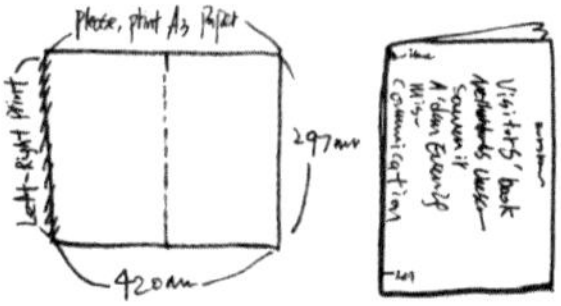

Souvenir, Netherlands Unesco

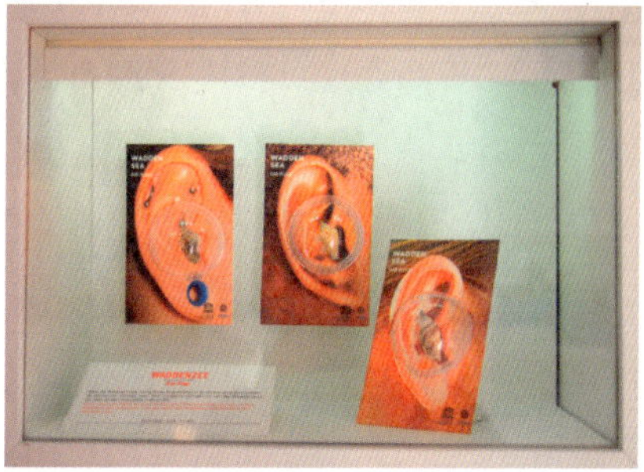

1. The Beemster Polder Sponge
2. Wadden Sea Earplug
3. Kinderdijk Yoga Video
4. Rietveld House Tape Instruction
5. Van Nelle Factory Green Tea

The Beemster Polder Sponge

Enjoy your own piece of traditional Dutch polder at home. Keep your kitchen dry, orderly and neat just as the Dutchies did when they first created the Beemster four centries ago.

Souvenir, Netherlands Unesco

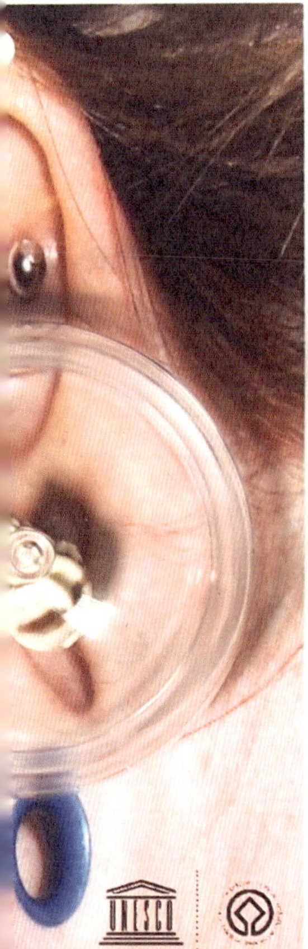

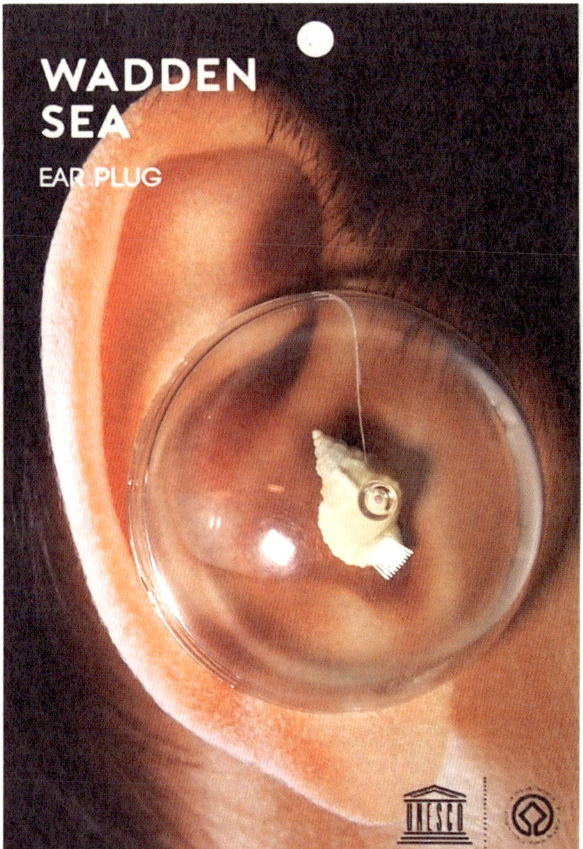

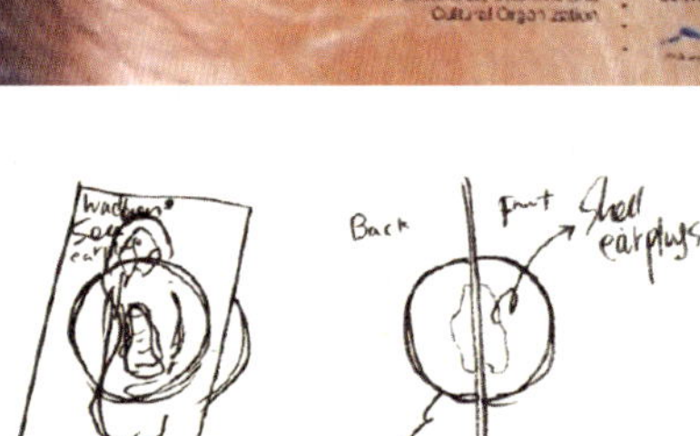

Kinderdijk Yoga Video

The century-old windmills of Kinderdijk are elegant, powerful and move with an almost hypnotic rhythm. 'Kinderdijk Yoga' translates the technical elegance driven by the wind into human movement.

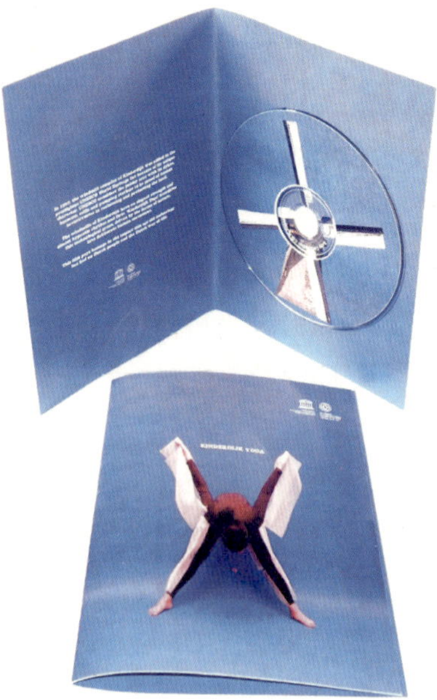

Souvenir, Netherlands Unesco

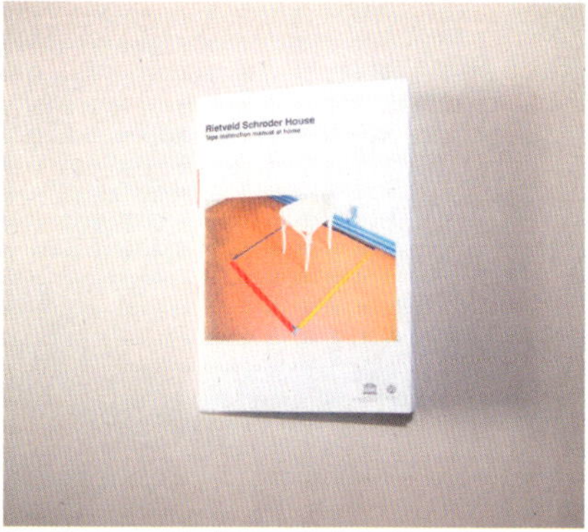

Van Nelle Factory
Green Tea

Taste the plasant working conditions of the Van Nelle tobacco, coffee and tea factory. Green tea leaves in the shape of a cigarette. Enjoy a relaxing cigarette by using it to make a lovely cup of tea.

A'dam Evening

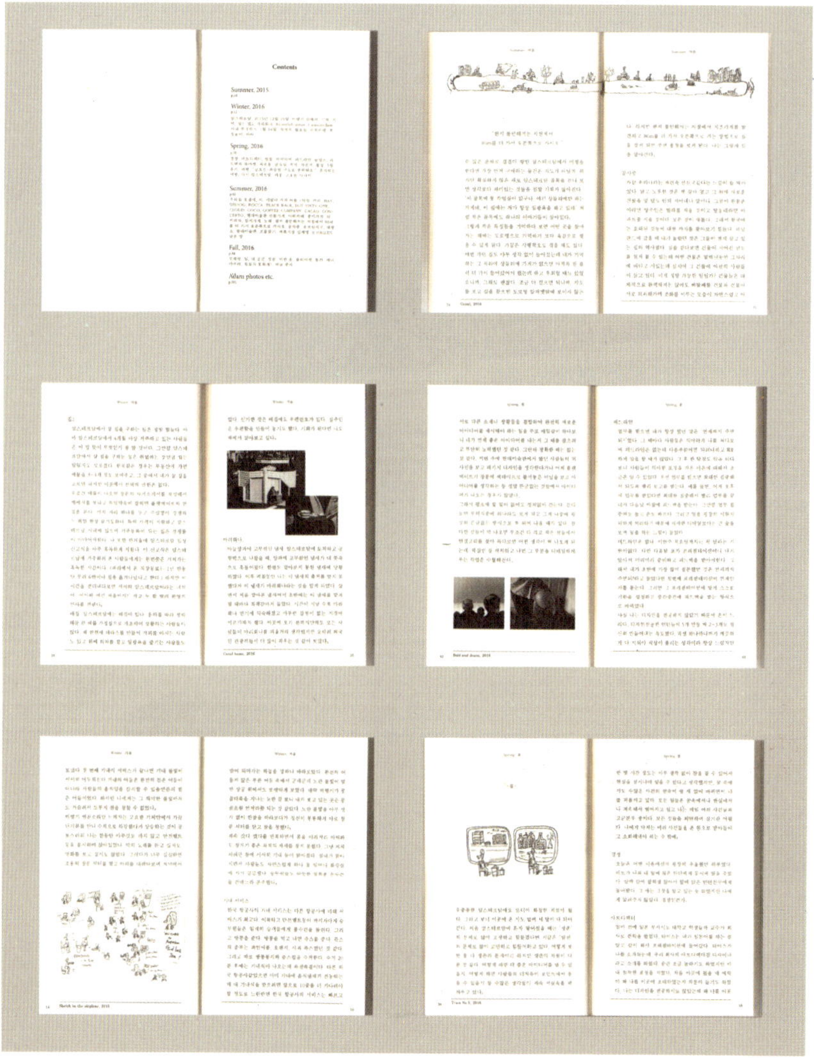

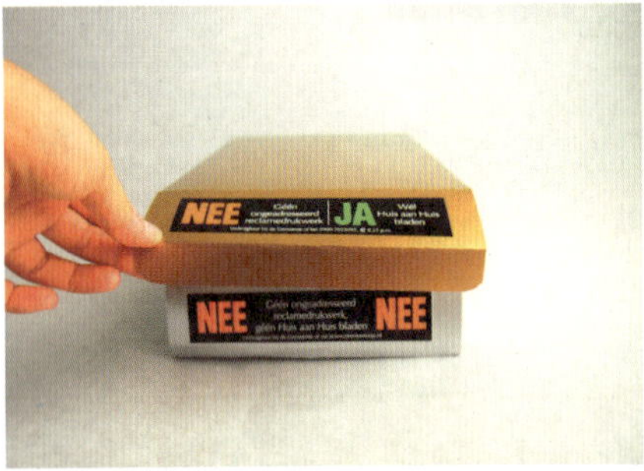

Amsterdam Golden Postbox

**A box designed for holding my Amsterdam series of books.
It contains A'dam series of book and a flyer from Albert Heijn.**

Treasure Hunt

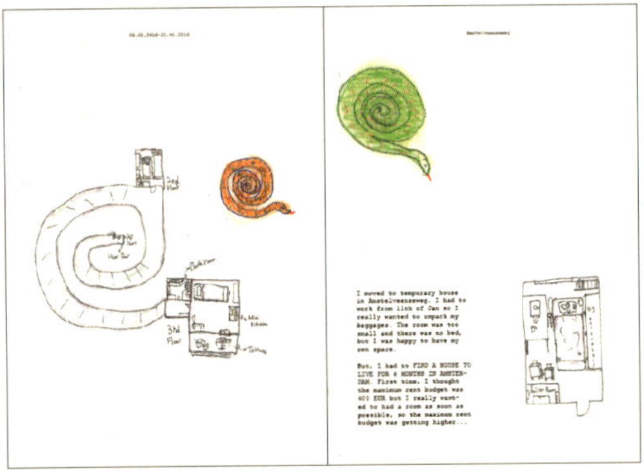

Dear Janet&Yoshi / A journey of searching for my home in Amsterdam.

A'dam Street

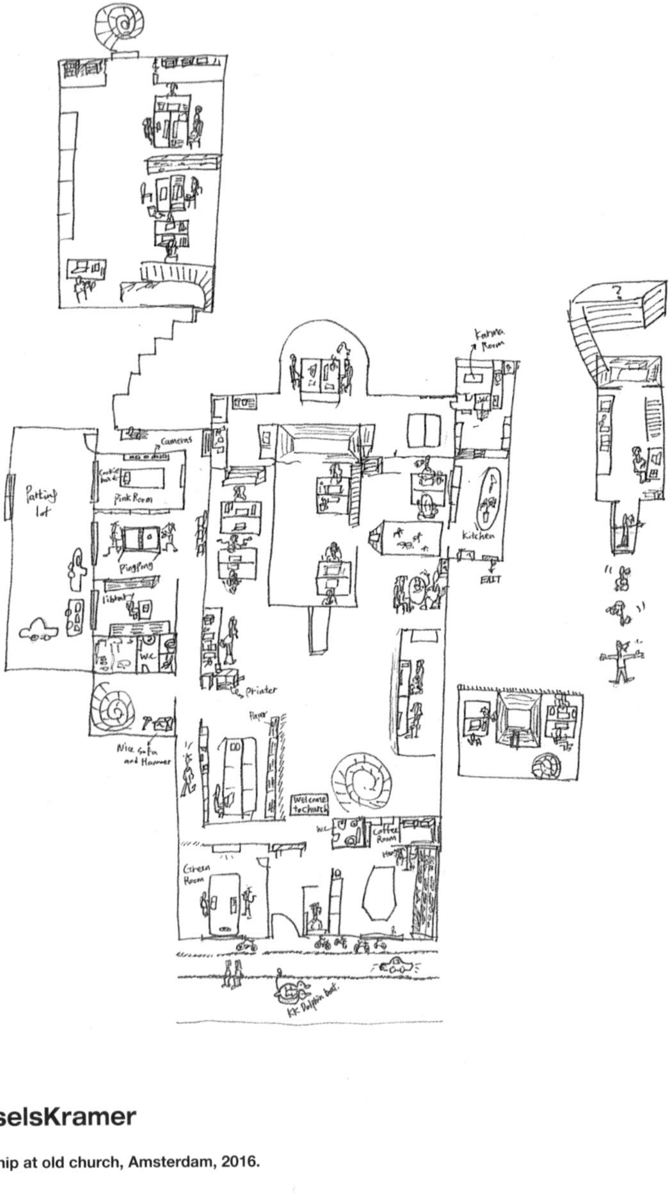

KesselsKramer

Internship at old church, Amsterdam, 2016.

Dutch Veil

Dutch Veil

A collection of typical Dutch houses that are covered with colorful hues and textures of construction veil. To give the book a 3D effect, I printed on the light-through tracing paper.

KesselsKramer

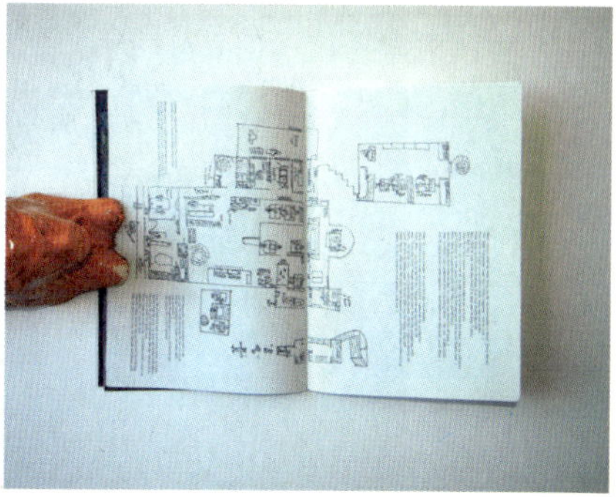

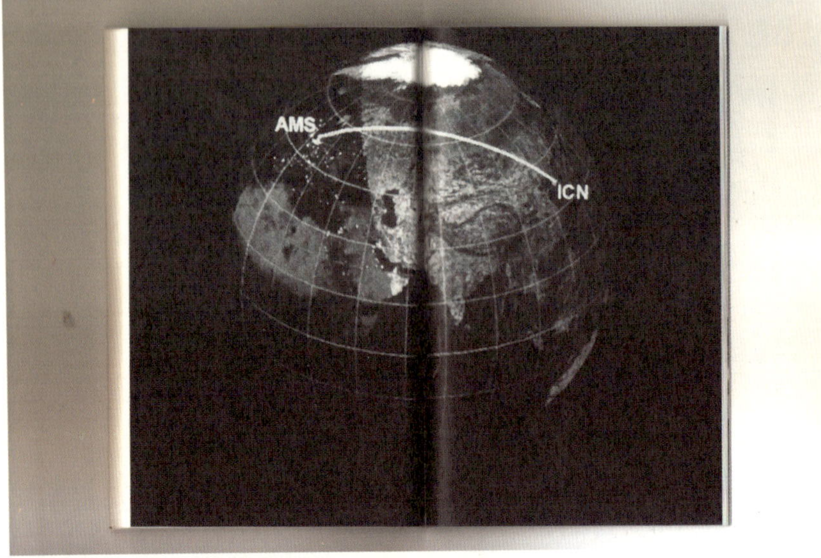

A'dam Street / A photobook of funny and creepy situations in Amsterdam.

Dear Janet&Yoshi

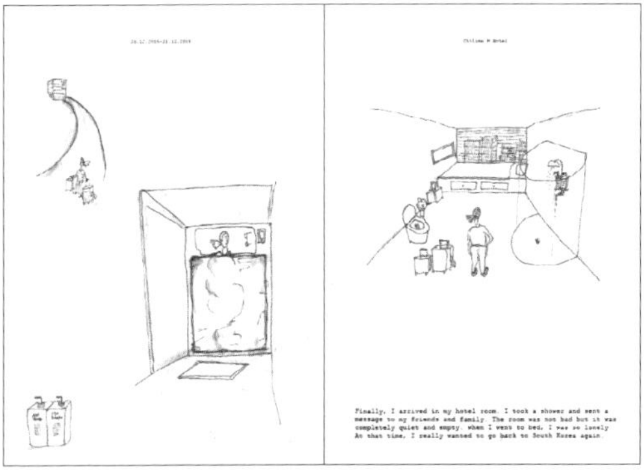

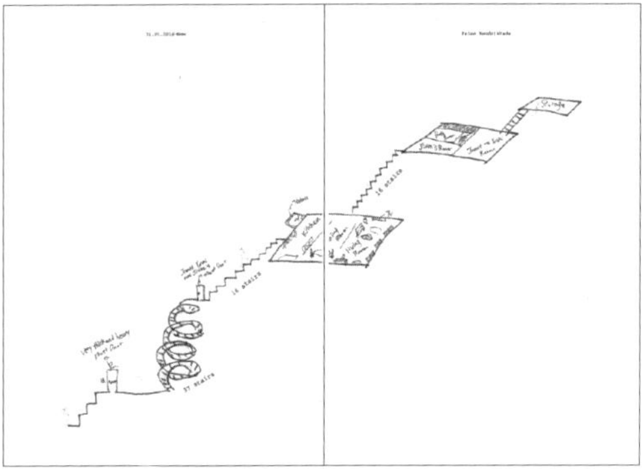

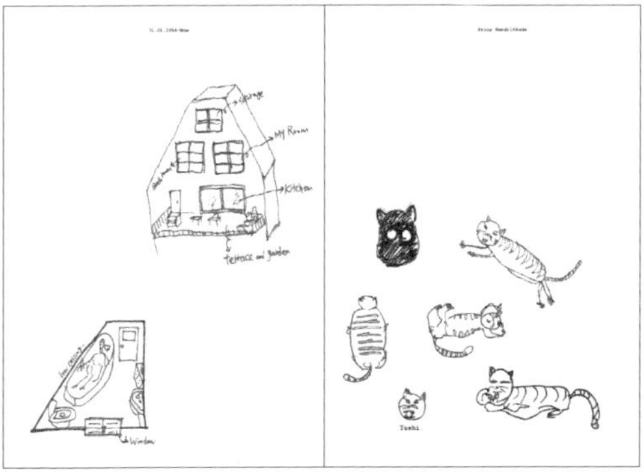

Treasure Hunt

A series of photographs of unexpected items at the flea market. When you open the each box(turn each page), you can see unexpected items inside the box. Photographed at WaterlooPlein and IJ Hallen Market, Amsterdam, 2016.

Amsterdam Golden Postbox

A’dam Evening

A book with photographs, drawings and texts.
Mainly noted my feelings of Amsterdam.

Souvenir, Netherlands Unesco

Rietveld House
Tape Instruction

Get your own DIY 'De Stijl' home-makeover in a snap! Transform your wall, floor or pretty much any object you like with just a few rolls and a short manual.

Souvenir, Netherlands Unesco

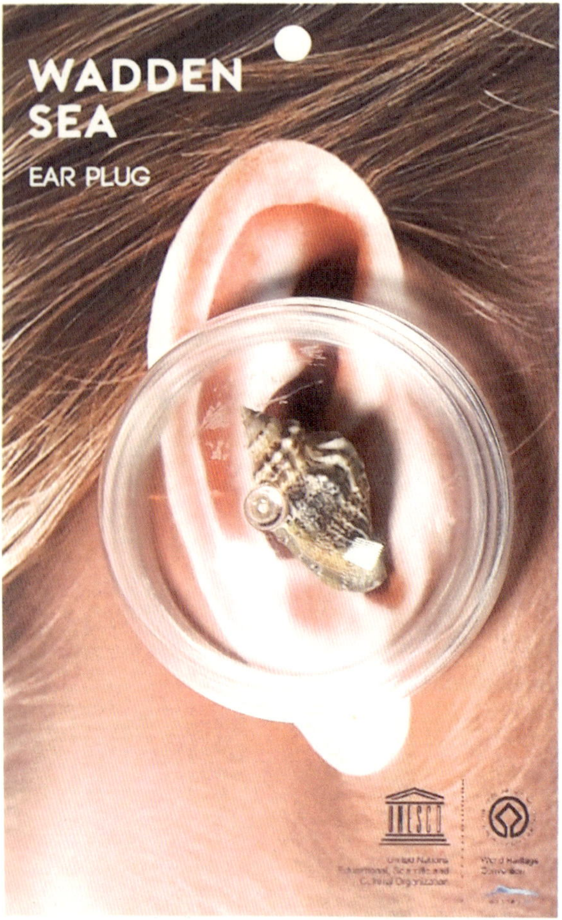

Wadden Sea
Earplug

Now you can listen to your music and the soothing sounds of the Wadden Sea wherever you go with the Wadden Sea(bluetooth!) headphones.

Souvenir, Netherlands Unesco

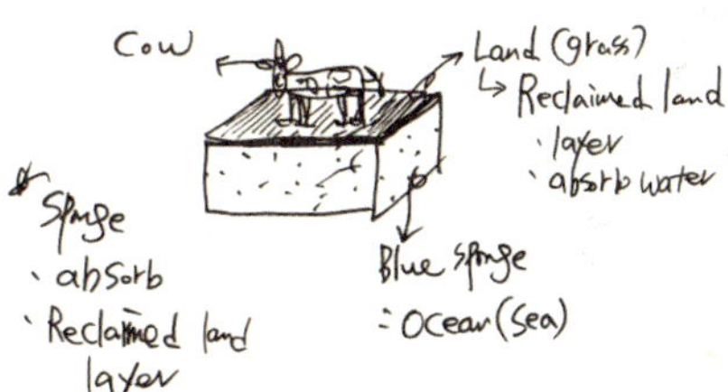

Netherlands Souvenir

A souvenir design for a travelling museum
for the Dutch UNESCO world heritage 2016.

Jihee Lee

jiheelee.
jiheelee.com
jiheelee.com@gmail.com

Work Experience

KesselsKramer — **Amsterdam, Netherlands**
Internship

Education

Dongguk University — **Seoul, South Korea**
Bachelor in Advertising

Exhibition

Souvenir, A travelling museum for the Dutch UNESCO world heritage, 2016

The First Por

Amsterdam-
Street Photobook
Dutch Veil
Treasure Hunt
Dear Janet&Yoshi

2016 -

9 788997 225453 04800
㈜퓨처미디어 정가 18,600원
ISBN 978-89-97225-40-8(세트) (세트)
ISBN 978-89-97225-45-3

If you like me, fold me once and put your bag. If you're ever bored sitting at a cafe, subway, or even on the toilet, please take me out and look at me whenever you like. But if you don't like me, you can throw me away. But if possible, please, put me in the used paper bin so my work can be re-cycled someday.

Screen of
Construction Site

Dutch Veil

Amsterdam, 2016
Netherlands

Jihee Lee

3

5

7

9

11

13

14 Dutch Veil

GB
GERMABOUW
STEIGERVERHUUR

122

GS
Beverwijk Tel. 0251-212034

SIMONKROON
STEIGERS
020-6259688
www.perfectsteigerbouw.nl

ATB

GERMABOUW bv
STEIGERVERHUUR

35

Screen of Construction Site

HELLO
SALE
American Vintage
HELLO
SALE
45

UTRECHTSESTRAAT
CENTRUM
afé BOUWMAN
INSTANT STEIGERS
020 - 448 10 36
www.instant-steigers.nl
ASIAN DELI
RICE & SPICE

P

45

47
SIMONKROON
STEIGERS
020-6259688
www.perfectsteigerbouw.nl

GERMABOUW™
STEIGERVERHUUR
Deko

RIXAX
VERHUUR

EC-B

MOKUM
Steigerbouw & verhuur
Tel: 020 36 265 35 • 06 250 27 308 • 06 301 48 600
www.mokumsteigerbouw.nl

Dutch Veiil
아'담 이브닝④
더치 베일

지은이 이지희

펴낸날 2017년 12월 4일 초판 1쇄

기획 김병인
편집 박진홍
디자인 둘셋
도서관리 박영희
펴낸이 김병인

ISBN 978-89-97225-44-6
세트 정가 18,600원

(주)퓨처미디어 출판 브랜드 caBooks
cakorea.com
cashop.kr
facebook.com/LikeCA
instagram.com/ca.books

이메일 press@cakorea.com
전화 02-852-5412
팩스 02-852-5417

A’dam Evening

Amsterdam, 2016
Netherlands

Jihee Lee

Ladies and Gentleman,
We have landed at Amsterdam
Schipol international airport.
The local time is 6:54 PM
Sunday December 20th.

Welcome
to
Amsterdam.

목차

목차

에릭이 보낸 글

지희와 저는 이탈리아 북부 빌로르바 Villorba에서 만났습니다. 지희는 그 지역에서 열린 한 워크숍에 참여했지요. 저는 그 워크숍 결과물을 평가하러 갔고요. 최종 발표 날, 지희의 작품을 보고 정말 깜짝 놀랐습니다.

지희는 자신의 집과 가족에 관한 매우 개인적인 이야기를 발표했습니다. 지희네는 당시 홈스테이를 했는데, 외국 손님이 늘 오가는 독특한 집안 분위기를 간단한 통계 자료와 그림, 사진 등으로 굉장히 위트 넘치고, 아이러니하게 표현했습니다. 여행자들이 어떻게 집 안을 돌아다니고, 그녀의 개인 화장실 변기를 얼마나 막 쓰는지 적나라하게 보여줬지요. 재미있었어요. 사생활이 없는, 완전히 개방된 환경에서 살아온 경험(좌절)이 그녀를 어쩌다 유럽까지 오게 했습니다. 하지만, 우리가 만났을 때는 반대로, 지희가 외국인, 이방인이 되어 몇 달간 여행하며 공부하던 중이었습니다.

저는 지희를 암스테르담에 있는 우리 사무실로 초대했습니다. 그리고 이는 많은 부분에서 케셀스크라머 KesselsKramer 와 지희, 모두에게 잊을 수 없는 경험이 되었습니다. 지희와 우리는 생각과 아이디어를 끊임없이 공유했는데, 그 과정을 한 마디로 표현하면 '창조적이고 혼란스러운 문화 충돌'이라고 할 수 있습니다. 결과는 물론 매우 긍정적이었지요. 완전히 다른 문화권에서 온 창의력 넘치는 사람과 함께한다는 건 놀랄 일이

날마다 생긴다는 뜻입니다. 지희의 경우는 더욱 특별했습니다. 이지희라는 인물을 표현하자면 마치 JPEG 파일 같습니다. 겉으로 보기에는 작고 여리지만, 안을 들여다보면 정보와 생각, 의외성으로 가득하거든요. 제가 만난 그 누구보다도 크고 꽉 찬 사람입니다. 그녀의 소식을 여기저기서 곧 듣게 될 것입니다.

에릭 케셀스 / 케셀스크라머

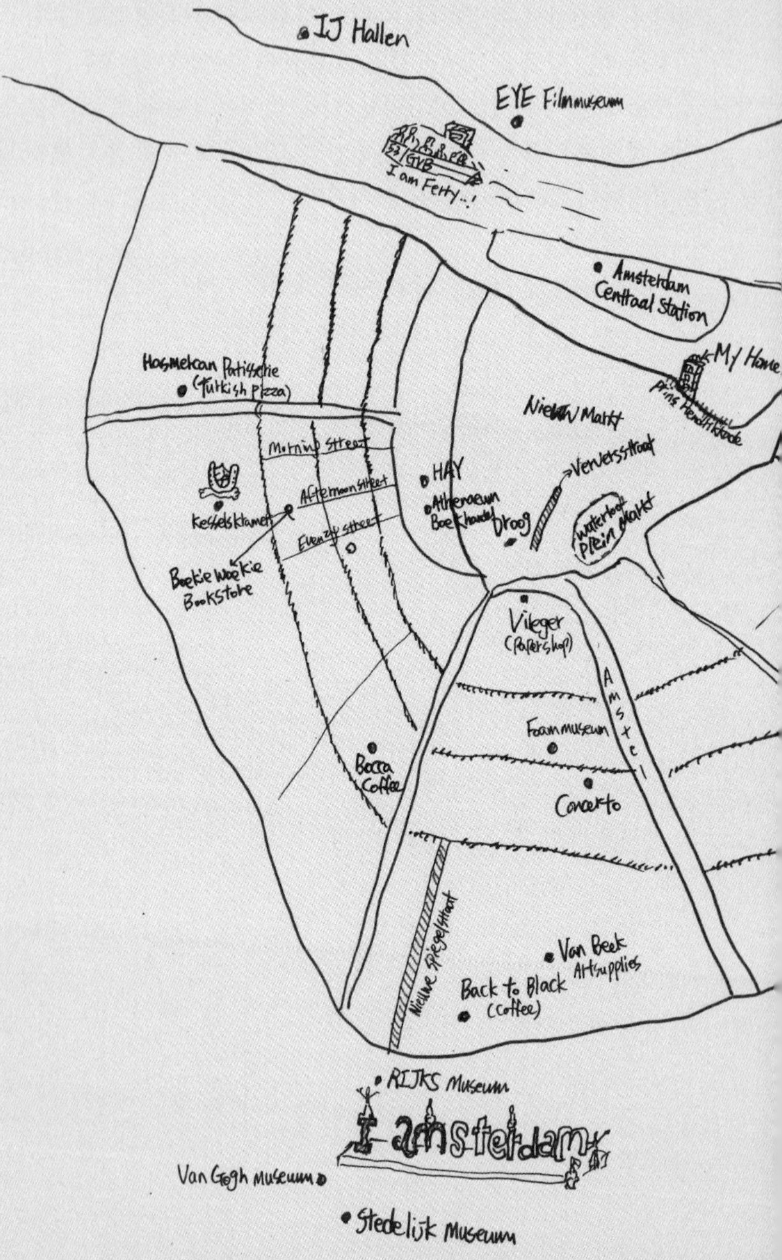
IJ Hallen
EYE Filmmuseum
I am Ferry..!
Amsterdam Centraal Station
My Home
Prins Hendrikkade
Nieuw Markt
Hosmelcan Patisserie
(Turkish pizza)
Morning street
Afternoon street
Evening street
Kesselskramer
Boekie Woekie Bookstore
HAY
Athenaeum Boekhandel
Droog
Verversstraat
Waterloo plein Markt
Vlieger
(Papershop)
Amstel
Foam museum
Bocca Coffee
Concerto
Nieuwe Spiegelstraat
Van Beek Artsupplies
Back to Black
(coffee)
RIJKS Museum
I amsterdam
Van Gogh museum
Stedelijk Museum

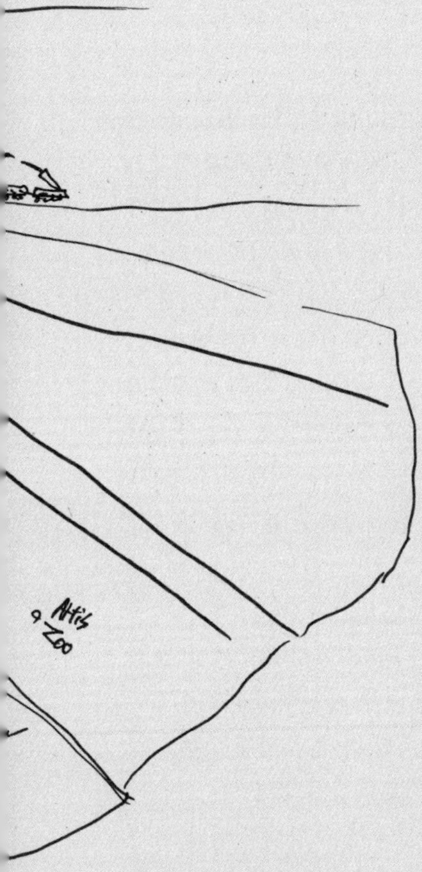
9
Artis
Zoo

여름. 2015

나는 에릭Erik Kessels을 포토 북 페스티벌 카셀Fotobookfestival Kassel에서 처음 보았다. 수백 명이 넘는 사람 사이에 앉아 그의 강연을 들으면서 '저런 아이디어로 저런 것들을 만드는 곳이 이 세상에 있긴 하구나. 저 회사에서 저 사람과 함께 일하면 진짜 좋겠다'라고 생각했다. 나는 페스티벌을 구경하고, 다시 이탈리아 트레비소로 돌아왔다. 당시 나는 베네통 파브리카 포토마스터 클래스에 참여하고 있었는데, 수업 전날 밤, 외부 강연 스케줄을 보다가 깜짝 놀랐다. 몇몇 강연자 중 에릭이 있는 것이었다. 사실 카셀에서는 에릭에게 말을 걸고 싶어도 수많은 사람에 둘러싸여 다가갈 수 없었는데, 이번에 만나면 한마디라도 할 수 있지 않을까, 하는 기대감이 들었다.

학생들이 그동안 준비한 최종 개인 발표를 하고, 외부 멘토들이 피드백을 주는 수업이었다. 25년 인생에서 가장 살 떨리는 발표를 마치고 난 후, 에릭은 내게 '사진이나 디자인을 전공하지 않았지만, 사진과 사진 사이의 이야기, 연결 고리, 표현력이 좋다. 잘 봤다.'라는 짧은 피드백을 주었다.

그날 밤, 내부, 외부 멘토들과 학생들이 다 함께 저녁을 먹는 자리에서 에릭은 나를 부르며 옆자리에 앉기를 권했다. 나는 에릭에게 "카셀에서 강연을 봤다. 진짜 팬이다."라고 말했다. 그러자 에릭은 "나도 오늘부터 네 팬이다."라고 받아쳐 주었다. 그리고 자기 회사에서 인턴을 해보지 않겠냐는 제안을 해왔다. 심장이 튀어나올 것처럼 너무 흥분되고 기뻤다. 영어도 잘 못 하는, 심지어 사진도 디자인도 전공하지 않은 나를 무슨 이유에서 암스테르담으로 초대한 건지 의아했지만, 나는 그 자리에서 "Of course, of course!"만 연신 외쳤다.

그날 밤은 잠이 오질 않았다. 이미 내 마음은 암스테르담에 가 있었기 때문이다. 한국에 돌아오자마자 에릭이 알려준 인사팀 직원에게 메일을 보냈다. 이때부터 마야(인사팀 직원)와 나는 장장 43통의 메일을 주고받으며 암스테르담 입성을 위한 절차를 밟아갔다.

⑤

겨울. 2016

암스테르담

내게 암스테르담은 흰 도화지 같은 도시였다. 내가 아는 것이라고는 스히폴 공항이 매우 크다는 것, 치즈와 튤립, 풍차의 도시 그리고 마약과 성매매가 합법인 곳이라는 게 전부였다. 도서관에 가서 암스테르담에 관한 여행 책자와 역사책을 찾아봤지만, 프랑스, 영국, 이탈리아 책보다 정보가 현저히 적었다. 지금 와서 생각해보면 네덜란드를 잘 모르고 간 것이 오히려 다행인 것 같다. 기대 없이 갔는데, 정말 좋았으니까.

암스테르담에 가기까지 수많은 변수가 있었다. 비자, 숙소, 졸업 등 하나를 해결하면 예상치 못한 또 다른 일이 터지고, 다른 것을 해결하면 또 새로운 것이 터지는 바람에 어쩌면 암스테르담에 못 갈듯한 불길한 예감이 들기도 했다. 그래도 다시 안 올 기회를 포기할 수 없었기에 시간이 걸려도 변수들을 차근차근 해결해 나갔다. 비자 문제 때문에 최종적으로 못 갈 위기도 있었으나 네덜란드 워킹 홀리데이 비자가 올해 100명을 마지막으로 발급이 끝난다는 소식을 듣고 네덜란드 대사관에 전화했더니, 99명이 이미 비자 신청을 완료한 상태였다. 마지막 한 명만 남겨둔 상황. 운 좋게 내가 100번째로 비자 발급을 받게 되었다. 회사와 주고받은 43통의 메일과 각종 서류 첨부파일 그리고 네덜란드 이민청과 주한 네덜란드 대사관과 주고받은 메일과 수십 통의 전화로 마침내 암스테르담으로 가는 길을 열었다.

2015년 12월 19일

모든 것이 준비되었다. 비자, 숙소, 입국 후 필요한 서류들, 비행기 표 그리고 정말 힘들 때 먹으라고 엄마가 사준 공진단 6알. 수속을 밟고, 짐을 부치고, 게이트로 들어가려는데 왜 눈물이 나는 걸까. 작년에 이탈리아에 갈 때는 엄마 아빠랑 낄낄 웃으면서 헤어졌는데. 눈물이 주체할 수 없이 많이 났다. 마치 힘들 앞날을 이미 알고 있다는 듯이.

Welcome to Amsterdam. Good luck Jihee?!
Lunch? Yes, please!
Snack? Yes, please
Coffee? Yes, please
Feeding
eating
Breakfast?
Um... Yes.. Please..?
Sleep
Wake up
EXERCISING in the Toilet (squat)
cleaning
Pillow
Blanket
Watching
Sherlock 1.2.3.
Jazz concert
dizzy
Haha...

비행기 안에서

오후 2시 40분 비행기를 탔다. 그리고 내 옆에는 아무도 앉지 않았다.

오래 앉아 있다 보면 몸에 피가 안 통하는 느낌이 들 때가 있는데, 그럴 때마다 두 좌석에 발을 뻗고 쉴 수 있어서 좋았다. 심심하면 비행기 창밖을 바라보고, 밥을 주면 밥을 먹고, 간식을 주면 간식을 먹으며 시간을 보냈다. 첫 번째 기내식 서비스가 끝나면 기내 불빛이 서서히 어두워진다. 기내의 어둠은 완전히 검은 어둠이 아니라 사람들의 움직임을 감지할 수 있을 만큼의 옅은 어둠. 하지만, 나는 그 희미한 불빛마저도 거슬려서 도무지 잠을 청할 수 없었다.

비행기 엔진 소리만 느껴지는 고요한 기체 안에서 가끔 난기류를 만나 수직으로 하강했다가 상승하는 것이 너무 무서워서 한동안 아무것도 하지 않고 안전띠 등만 응시하며 앉아있었다. 딱히 노래를 듣고 싶지도, 영화를 보고 싶지도 않았다. 그러다가 너무 심심하면 조용히 창문 가림막을 열고 저녁에서 밤이 되어가는 하늘을 멍하니 바라보았다. 완전히 어둡지 않은 푸른 어둠 속에서 군데군데 노란 불빛이 몇만 상공 위에서도 또렷하게 보였다. 노란 불빛을 또 아무 생각 없이 한참 보다가 정신이 몽롱해져 바로 가림막을 닫고 잠을 청했다. 계속 자다 깨다 반복하면서 몸을 이리저리 바꿔봐도 잠자기 좋은 최적의 자세를 찾지 못했다. 그냥 지쳐 자려던 참에 서서히 기내 등이 밝아졌다. 실내가 밝아지면서 사람들도 자연스럽게 하나둘 일어나 화장실에 가기 바빴다. 승무원들도 따뜻한 일회용 손수건을 건네느라 분주했다. 얼마 뒤, 한동안 부산스러웠던 기내가 소등과 동시에 다시 조용해졌다.

나는 이 시간이 좋지만, 가장 답답한 시간이기도 하다. 어둡고, 의자는 딱딱해서 엉덩이뼈가 아프고, 온몸에 피가 안 통하는 느낌이다. 영화를 몇 편이나 봐도 영원히 어두울 것 같은 시간.

암스테르담에 착륙한다는 안내방송이 나왔다. 창밖을 보니 수많은 불빛이 한 치의 오차도 없이 직각으로 쭉 뻗어있었다. 마치 납땜 전구처럼 모든 것이 직각, 직선인 도시. 그 불빛들은 무척 황홀했다.

③

스히폴 국제공항. 오후 6시 54분. 12월 20일 일요일. 도착. 수속을 밟고, 짐을 찾고, 게이트를 빠져나가는 순간, 누군가를 기다리는 수많은 사람이 펜스 뒤로 빽빽하게 서 있었다. 오랜만에 만난 사람들은 서로를 꼭 끌어안거나 가벼운 키스를 하거나 환호했지만, 나를 기다리는 사람은 단 한 명도 없다는 사실을 깨닫고 순간 정신이 번쩍 들었다. 모든 것이 무서워졌다. 서둘러 공항 밖으로 나가자 공기는 차고, 비바람이 불고, 어둡다. 고무와 양파 냄새가 섞인 연기를 맡고 한동안 정신이 아득했다.

③

저녁

암스테르담에 아무런 연고가 없는 탓에 도착하자마자 공항 주변 저렴한 호텔에서 하룻밤을 보냈다. 호텔로 가는 길은 어둡고 으슥해서 보이는 사람이 모두 경계 대상이었다. 비바람을 맞으며 호텔 안으로 들어가니 1층 바에서 연말 파티가 한창이었다. 한껏 차려입은 사람들을 비집고 배정받은 방으로 들어갔다. 모든 짐을 이끌고 방 안으로 들어서니 긴장이 풀리면서 걷잡을 수 없는 공허함에 휩싸였다. 서둘러 샤워를 하고, 침대에 누워 밀린 페이스북 피드와 카카오톡을 보내다가 갑자기 눈물이 났다. 누군가 보고 싶거나 슬퍼서 그랬다기보다는 이렇게 외롭고 공허하다는 느낌을 살면서 처음 받아본 것 같다. 옆방에 누군가 들어왔다. 방음이 잘 안 돼서 사람들이 이야기하는 소리가 웅웅, 들렸다. 그 말소리를 듣고 있으니 더 힘들었다. 그냥 짐을 풀지 않고 그대로 다시 한국에 가고 싶다는 생각을 했다.

③

집1

암스테르담에서 방 구하기가 정말 어렵다는 말을 이미 들었던 터라 나는 한국에서 방을 미리 구했다. 인턴 생활을 할 회사 직원의 추천으로 다행히(?). 한 달에 250유로! 그래서 바로 보증금 내고 걱정 없이 계약한 방을 찾아 나섰으나, 암스테르담 시내를 한참 벗어난 서쪽 동네 오스도르프Osdorp였다. 디자인 레지던시 그룹이 운영하는 곳이어서 동네나 방을 꼼꼼하게 따지지도 않고 들어갔는데, 내 예상보다 건물이 낡아서 들어가는데 덜컥 겁이 났다. 더군다나 내가 처음 들어갈 때는 아무도 살지 않는 빈집이어서 집은 추웠고, 창틈으로 새어 들어오는 바람 소리마저 무서웠다. 하룻밤을 지새우는 동안 정말 많은 생각을 할 수밖에 없었다. 특히, 깜짝 놀랐던 것은 앞으로 함께 살 플랫메이트가 남자라는 사실이었다. 서로 모르는 남녀가 함께 사는 경우도 있다고 들었지만, 막상 내가 얼굴, 이름, 성격도 모르는 남자와 당장 단둘이 살아야 한다고 생각하니 뭔가 느낌이 이상했다. 아무렇지 않은 척하려 해도 좀처럼 받아들이기 힘든 문화였다. 집에 대한 세세한 정보를 요구하지 않고 무작정 온 내 잘못이지만, 남자 플랫메이트라니. 정말 생각지도 못한 변수였다(훗날 친구들에게 이 얘기를 했더니 친구들은 모두 그 좋은 경험을 왜 발로 찼냐며 오히려 나를 바보 취급했다. 그냥 한번 만나보기라도 할 걸 그랬나?).

나가야 하나, 혹은 어떻게 나가야 욕을 안 먹고 가장 이상적으로 나갈 수 있을지 생각하고 또 생각하느라 사실 그날 밤의 기억이 아주 정확하지는 않다. 방과 동네, 사람들, 모든 것이 낯설고 너무나도 무서웠다. 새벽 무렵 네덜란드 커뮤니티 페이지에 내가 처한 상황을 알리고 도움을 청했다. 생각보다 많은 사람이 자기 일처럼 걱정해주었다. 어떤 분께서 튤립 민박 사장님을 소개해주셨고, 나는 결국 튤립 민박으로 가기로 결심했다.

날이 밝자마자, 짐을 풀지도 않은 채 바로 나왔다. 모든 짐을 끌고 암스테르담 중앙역으로 가는 17번 트램을 탔다. 암스텔벤에 있는 튤립 민박(한인 민박)에 임시로 머무르기로 했다. 비록 4명이 함께 쓰는 도미토리 룸이었지만, 마음만은 편했다. 이곳에 머무는 사람들은 대부분 여행 온 사람들이었다. 모녀가 함께 오기도 하고, 친구, 애인끼리 온 사람들이 있는 곳. 여행이 힘들다고 엄마에게 찡찡대는 어떤 사람의 통화를 엿들으면서 '그래도 넌 며칠만 참으면 한국 가잖아. 나는 무조건 여기서 6개월 이상 있어야 한다고!', 그런 생각이 절로 들었다. 6개월이라는 시간이 까마득해 보였다.

게다가 때는 연말. 크리스마스 연휴와 새해 연휴가 겹쳐 방을 구하기는 거의 불가능. 이곳저곳 옮겨 다니며 정처 없이 거리를 헤매다가 노란 불빛이 새어 나오는 창문으로 어떤 집 안을 보게 되었다. 직접 자른 나무로 꾸민 트리와 크리스마스 장식들 그리고 그 옆에서 맛있는 음식과 와인을 마시며 행복한 시간을 보내는 가족을 보니 갑자기 온몸이 시렸다. 어스름한 저녁, 소름 끼치도록 차가운 푸른 거리에서 노란 불빛이 새어 나오는 집들은 하나같이 따뜻해 보였다. 나도 저렇게 노란 불빛 집에서 가족과 맛있는 음식을 먹고 싶었다. 그날 저녁, 민박집에 돌아와 가족에게 엽서를 썼다.

③

우리 가족에게,

잘, 지내고 계신가? 예전에도 그랬듯이 연말인 가족들과 혹은 혼자 보내는 경우가 많아서 이곳에 와도 별 감정이 없을거라 생각했었어. 그런데 외국에 나와보니 한국에서 아무렇지 않게 보냈던 연말이 세상 소중한 것이었구나 느끼고 있어... 흑흑. 마치, 설날 추석에 가족만나지 못하고 혼자 지내는 외국인들 기분이 아마 이러한 느낌이려나..? 그냥 거실에서 치킨이나 먹으며 가요대전, 연기대상을 함께 보는 일이 좀 많이 그립군.. 특별한 일이 아니어도 그냥 '함께' 있는 것만으로도 굉장한 힘이 되었다는걸 이곳에 와서 너무나도 여실히 느끼면서 하루하루를 살아가는 요즘...

보고싶군. 다들, 건강하고, 조만간 보자!!

David Shrigley
ohne Titel, 2008
Museum Ludwig Köln
© David Shrigley, 2008
Best.Nr.: ML 122

4 260187 290014

GEBR. KÖNIG POSTKARTENVERLAG · BREITESTR. 93 · D-50667 KÖLN · PRINTED IN GERMANY

PKM 157142
30 – 12 – 15 16:21
NEDERLAND
PRIORITY
€ 1,15

Amsterdam

Merry Christmas and Happy New Year

Galmae-ro 480,
Sejong 30104, South Korea
세종특별자치시 갈매로 480,

눈물 젖은 햄버거

새해 첫날, 특별히 할 일도 없고 해서 한인 민박집에서 만난 친구와 햄버거를 먹으러 갔다. 우리는 중앙역에 도착해 에스컬레이터를 타려던 차에 큰 자전거를 에스컬레이터에 걸치고 위태롭게 올라가는 백인 아줌마를 봤다. 순간 자전거가 움직이면서 아줌마는 중심을 잃었고, 큰 자전거가 우리 쪽으로 덮칠 듯했다. 순간, "어, 어떡해!"하며 소리를 질렀는데, 아줌마는 자신을 놀리는 소리로 오해한 것 같았다. 아줌마는 에스컬레이터에서 내리자마자 나를 흘끔 보고 가더니 다시 돌아와 다짜고짜 내 뺨을 때렸고, 순간 너무 당황한 나머지 몇 초 동안 온몸이 굳어 어떤 말도 할 수 없었다. 주변에 사람도 없어서 경찰을 불러달라거나 우리 이외의 목격자가 필요하다는 생각조차 하지 못했다. 이후 나는 아줌마에게 자초지종을 설명했고, "이거 지금 폭력이고 인종차별이다."라고 했지만 소용없었다. 백인 아줌마는 "너네 나라로 돌아가라."는 말만 반복하면서 사라졌다. 지금 생각하면 그 아줌마를 잡고 친구와 함께 중앙역을 순찰하는 경찰에게 갔어야 했는데, 그 당시에는 그런 판단을 할 정도로 이성적이지 못했다. 친구가 함께 있어서 참으려고 부단히 노력했지만, 한계가 왔다. 잘 참았다고 생각했는데, 햄버거를 먹으면서 갑자기 주체할 수 없이 눈물이 흘렀다. 잠시 내 감정을 조절하는 뇌관이 고장 난 것처럼 눈물이 멈추지 않았다. 나는 서류상으로는 이미 이 도시의 '시민'이었지만, 이 도시는 여전히 '남의 나라'였다. 백인 아줌마 말처럼 모든 것을 다 포기하고, '내 나라'로 돌아가고 싶었다.

몇 달이 지나 이 에피소드를 친구에게 얘기했더니 최근 유럽 내에 테러도 빈번하고, 난민 문제도 있어서 일부는 백인 이외의 이주민에 굉장히 민감하게 반응한다고 한다. 네덜란드는 다른 나라에 비해 다양한 인종이 모여 사는 나라여서 어렸을 때부터 차별 방지 교육을 엄격하게 한다는 말을 들었다. 그러나 이곳에서도 인종차별은 암암리에 여전히 벌어지고 있다.

마리화나

마늘, 양파에 고무 섞인 냄새. 암스테르담에 도착하고 공항 밖으로 나왔을 때, 양파에 고무 섞인 냄새가 내 콧속으로 훅 들어왔다. 한 번도 맡아보지 못한 냄새에 당황했다. 이후 며칠 동안 나는 출처를 알지 못하다가 마리화나 냄새임을 알게 되었다. 처음에는 이 냄새를 맡게 될 때마다 죄책감마저 들었다. 하지만, 시간이 지날수록 익숙해졌고, 나중에는 아무렇지 않았다. 이곳에 오기 전까지만 해도 모든 사람이 마리화나를 피울 거로 생각했지만, 그렇지는 않았다. 현지인보다는 관광객이 더 많이 피우는 것 같아 보였다.

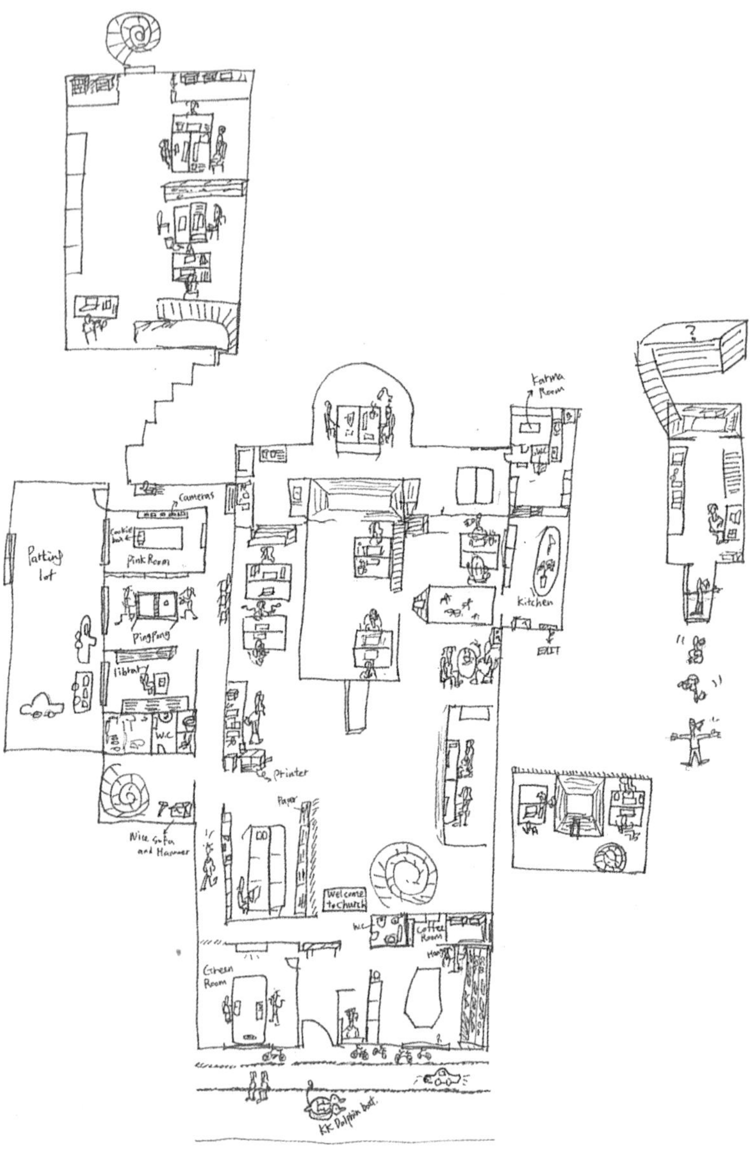
Karma Room
Cameras
Cookie box
Pink Room
Parking lot
PingPong
library
W.C
Kitchen
EXIT
Printer
Nice Sofa and Hammer
Paper
Welcome to church
WC
Coffee Room
Green Room
KK Dolphin boat.

출근하기로 한 날이 다가왔다. 1월 4일. 나는 여전히 살 집을 구하지 못했고, 짐을 풀지도 못했다. 그러나 일단 약속을 했으니 후줄근한 차림으로라도 출근할 수밖에 없었다. 오리털이 곳곳에 삐져나온 패딩 조끼에 머리를 질끈 묶고 회사 벨을 눌렀다. 그 날은 월요일 오전 10시였고, 모두가 모여 있는 부엌에서 첫인사를 했다(케셀스크라머에서는 매주 월요일 아침마다 부엌에서 전체 회의를 한다). 어색한 분위기가 감돌았고, 내가 신기한 듯 위아래로 훑어보는 차가운 시선도 느껴졌다. 이곳에서 일하는 사람들은 대부분 90%가 네덜란드인이고, 나머지 10%도 독일, 프랑스, 영국에서 온 유럽권 사람이 전부다. 아시아인은 2001년 일본인 이후로 한 번도 이곳에서 일한 적이 없다고 한다. 정말 어색한 인사를 나누고, 인사팀에게 양해를 구한 뒤 다음 주부터 출근하기로 했다.

②

I amsterdam

암스테르담에 가면 사람들은 대부분 'I amsterdam' 조형물에서 사진을 찍는다. 나도 암스테르담에 도착하자마자 정신없는 와중에도 일부러 찾아가서 사진을 찍었으니 말이다. 그런데, 아트 디렉터와 점심을 먹으면서 이런저런 이야기를 하다가 I amsterdam 이야기가 나왔고, 아트 디렉터는 그걸 케셀스크라머가 만들었다고 했다. 처음에 나는 그가 농담하는 줄 알았다. 실제로 I amsterdam이라는 타이틀을 갖고 사진전을 했으며 그 타이틀을 시 슬로건으로 제안했다고 한다. 이곳이 어떤 성향으로 디자인을 하고, 광고를 만드는 곳인지는 알고 있었으나 I amsterdam까지 기획했다고 하니 작은 경외감이 느껴졌다.

충격이다. 어떻게 일터에서, 그것도 사내 방송이 아니라 사내 주크박스가 흘러나올 수 있는 거지? 홀이 커서 쿵쿵 울릴 정도로 '힙한' 카페에서 일하는 느낌이다. 한국에서는 상상도 못 할 일이다. 월요일 아침부터 스미스The Smiths의 Bigmouth Strikes Again을 시작으로 쾌청한 스미스 메들리가 흘러나온다. 우탱 클랜 노래가 나오면 랩을 따라 하고, 마돈나 노래가 나오면 일하다 말고 춤추며 노래 부른다. 이 분위기가 너무나도 자유로워서 적응이 안 될 지경이다. 음악은 누구나 틀 수 있다. 헤비메탈을 좋아하는 렌스, 최신 음악을 즐겨 트는 맥스, 스미스와 벨벳 언더그라운드Velvet Underground만 트는 루퍼스. 서로 다른 음악 취향을 가진 사람들이 듣고 싶은 음악을 크게 틀고 일할 수 있다. 렌스가 헤비메탈을 틀 때는 시끄러워서 당장 끄고 싶었던 적이 있었는데, 참다못한 메릴이 오디오 전원을 꺼버리면 내심 고마웠다.

P.S. 하루는 굉장히 익숙한 멜로디가 회사 전체에 흘러나와서 들어보니 애국가였다. 순간, 누가 틀었을까, 두리번거리다가 아눅과 눈이 딱 맞아 서로 웃었는데, 이곳에서 애국가를 들으니 뭔가 고맙기도 하고, 느낌이 묘했다.

높은 변기

치즈를 먹어서 다들 키가 큰 건가. 이곳 사람들은 대체로 큰 것 같다. 남자뿐 아니라 여자도 크다. 어쩌다 그들 사이에 서 있으면 내가 한없이 작게 느껴진다. 하루는 카페 화장실에서 볼일을 보는데, 변기에 앉는 순간 변기가 높다는 느낌이 들었다. 그런데 변기는 세계 공통으로 표준화된 물건 아니었나? 높은 변기에 앉으니 당황스러웠다. 내가 한국에서는 그리 작은 키가 아닌데 이곳에서는, 변기부터 시작해서….

P.S. 자전거를 타고 달리는 사람들을 볼 때마다 거대한 말들이 달려오는 듯한 무서움이 밀려온다.

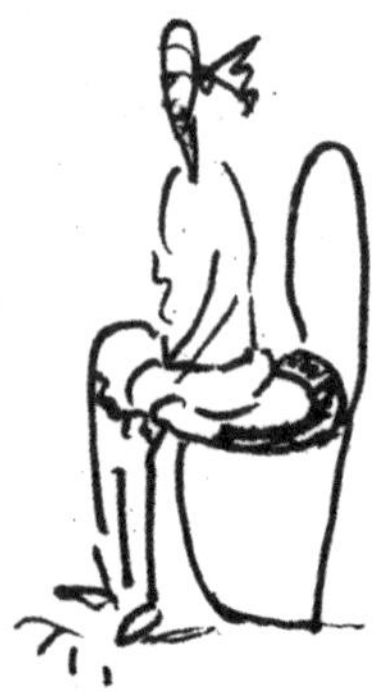

1월 14일

요즘은 이곳 생활에 적응하고 있다. 아침에 만원 버스에 올라타서 자위트역까지 참고 가다 보면 환승역과 지하철역이 있어 사람이 많이 내린다. 신기한 건, 만원 버스여도 다른 사람을 밀면서까지 타려고는 하지 않는다. 최소한의 간격을 유지하려고 노력하는 모습이다. 암스테르담 시내로 들어가 엘렌츠흐라흐트역에서 내린다. 나는 버스 시간 때문에 항상 8시 40분에 도착한다. 좀 더 늦게 가고 싶어도 배차 시간이 길기 때문에 어쩔 수 없이 8시 8분에 오는 170번 버스를 타야 한다. 이 시간에 회사에 가면 청소하는 아주머니만 있다. 9시가 되어서야 사람들이 오기 때문에 20분 정도는 무척 조용하다. 그 시간 동안 책상 정리도 하고, 노래를 부르기도 하고, 바나나를 까먹기도 하고, 오늘 내가 할 일에 대해 적기도 한다. 오늘 점심시간 전까지는 무얼 만들어야지, 점심을 먹고 난 후에는 피드백을 받아야지, 오후 4시까지는 이 일을 다 끝내놔야지 등등 이렇게 적어두지 않으면 사실 뭘 해야 할지 순간 머리가 멍해질 때가 있다. 그래서 매일같이 오늘은 뭘 할지 생각하는 습관을 지니려고 노력한다.

집2

암스테르담에서 살 집을 구하는 일은 취업하기만큼 힘든 일일지도 모르겠다. 한국 같은 경우는 부동산에 가면 매물을 3-4개 정도 보여주고, 그중에서 고르면 되지만, 이곳에서 선택의 권한은 없다.

매물이 나오면 무조건 장문의 자기소개서를 작성해서 메시지를 보내고, 약속이 잡히면 플랫메이트와 면접을 본다. 마치 자리 하나를 두고 수십 명이 경쟁하는 취업 현장 같기도 하다. 특히 가격이 저렴하고 시내에 있으며 거주 등록이 되는 집은 경쟁률이

어마어마하다. 나 또한 한겨울에 암스테르담 입성 신고식을 아주 혹독하게 치렀다. 이 신고식은 이곳에 거주하러 온 사람들에게는 한 번쯤 거쳐 가는 끔찍한 시간이다(파리에서 온 직장 동료는 1년 반 동안 무려 6번이나 집을 옮겨 다녔다고 한다). 하지만, 이 시간을 견뎌내다 보면 서서히 암스테르담이라는 너석이 '어서 와. 여긴 처음이지?'하고 두 팔 벌려 환영 인사를 건넨다.

배집: 암스테르담에는 '배집'이 있다. 운하를 따라 정박해둔 큰 배를 가정집으로 개조해 생활한다. 갑판에 테라스를 만들어 커피를 마시는 사람도 있고, 일광욕을 즐기는 사람들도 있다. 배집에도 우편번호가 있고, 우편함도 있다. 기회가 된다면 나도 배에서 살아보고 싶다.

③

생일 파티

2월 8일. 외국에서 처음 맞이하는 생일이다. 평소 생일에 별로 의미를 두지 않는 나는 엄마가 끓여주는 미역국을 먹거나 친구들과 조용히 밥을 먹는 거로 파티를 대신했기 때문에 이곳에 와서도 사람들에게 굳이 알리고 싶지 않았다. 그런데 케셀스크라머에는 생일 파티를 꼭 하는 일종의 관습이 있다. 그래서 나도 회사에서 내 생일 파티를 준비했다. 생일을 맞이한 사람은 동료들에게 줄 케이크 2~3개를 직접 사 오고, 전체 메일로 날짜와 시간을 공지한다. 메일을 받은 동료들은 그 시간에 맞춰 주방으로 모인다. 생일 파티를 주최한 사람은 약속한 시각 전에 미리 간단한 차와 커피를 준비하고, 케이크도 보기 좋게 식탁에 올려놓는다. 모두 주방으로 모이면 본격적인 생일 파티가 시작되는데, 네덜란드 생일 축하 노래를 부른다. 마지막 후렴구에는 '호레이!'를 크게 몇 번 외친다. 노래가 끝나면 회사에서 준비한 선물을 준다. 선물은 대략 20유로 선에서 준비하는데, 생일 맞은 이의 성격이나 스타일에 따라 조금씩 다르다. 예를 들면, 구제 마니아인 사람은 구제 점퍼, 새로 이사한 동료는 집들이 선물, 나는 네덜란드 넘버원 기념품 전통 나무 신발을 받았다. 사실 한국에 가기 전에 내 발 치수에 맞는 전통 신발을 사려고 했는데, 필요한 선물을 받아서 기뻤다. 그래서 그 신발을 집에 바로 가져가지 않고, 한동안 회사에 두고 또각또각 소리를 내며 신고 다녔다.

이렇게 선물 증정식이 끝나면 케이크를 나눠 먹으며 30분에서 1시간 정도 사람들과 이야기하면서 논다. 40명이 안 되는 사람의 생일을 매년 열다 보면 매달 몇 번의 생일 행사를 치르는데, 나는 이 이벤트가 좋다. 사람들과 이야기할 수 있고, 맛있는 케이크를 먹을 수도 있기 때문이다. 회사에서 내 생일 파티 준비를 하면서

문득 초등학생 때 생일 파티를 준비하던 일이 생각났다. 반 친구들에게 초대장을 만들어 나눠주고, 과자 따위를 함께 먹으며 친구들이 문방구에서 사 온 선물을 풀어보던. 생일이란 것이 별날 아닌데도 이렇게 많은 사람에게 축하받으니 초등학생이 된 듯 기분 좋았다.

②

낮은 땅

네덜란드는 해수면보다 낮은 땅이기에 물이 자주 범람한다. 그래서 '땅'에 관한 계산이 철저한 나라다. 직선이어야 물을 막을 수 있고, 그런 이유로 구역을 정확히 나눠야 한다. 네덜란드에서 기차나 차로 여행을 하면 나무마저도 직선으로 나란히 심은 모습을 볼 수 있고, 젖소들이 풀을 뜯는 초원도 배수로로 정확하게 나눴다. 직선은 이 나라에서 필수다. 그래서 사람들도 매우 직선적인 걸까.

Clear!

우리나라 사람들은 상대방이 기분 나쁘지 않게 최대한 돌려 말하는 게 미덕이라고 생각하는 경우가 잦다. 하지만 네덜란드 사람들은 'A는 B다' 같은 말하기 방식을 선호한다. 내가 거절할 때 기분 상하지 않게 최대한 돌려 말하면, "그러니까, 네 말은 이래서 싫다는 거지?"라고 되묻는다. 그러면 내가 "응, 맞아."라고 하면, "Clear!"라고 내 의견을 명확하게 정리한다.

처음에는 그들의 직접적인 소통 방식이 익숙하지 않아서, 돌려 말하는 미덕을 잘못 사용했다가 서로 오해만 커지기도 했다. 네덜란드 사람들의 직선적인 소통방식을 모르는 외국인(나)은 그들이 너무 솔직해서 무례하다고 오해할 수도 있지만, 그들은 이러한 직선적인 방식에 대해 의견을 정확히 제시해야 효율적이라고 생각한다. 명확하게 말하면 당장은 속상할지 몰라도 효율적으로 일할 수 있지 않겠냐는 것이 그들의 입장이었다.

내가 아이디어를 가져갔을 때, 좋은 아이디어는 "진짜 좋다. 이런 방식으로 발전시켜봐." 하며 비슷한 사례를 소개해주거나 참고 자료를 주거나 구체적인 방법까지 설명하는 반면, 아이디어가 좋지 않을 땐, 솔직하게 별로라고 말을 한다. 왜 별로인지도 구체적으로 설명해주고, 올바른 방향으로 아이디어를 낼 수 있게 개념을 다시 이야기해준다. 그렇기 때문에 직선적인 소통 방식에 대해 속상하기보다는 '아, 내가 너무 나갔구나' 하고, 곧바로 바로잡기 시작한다. 그냥 뭔가 별로인데 별로인 이유를 명확하게 말로 제시할 수는 없지만, 뭔가 느낌적인 느낌을 요구하는 추상적인 소통 방식보다는 일하기에 수월한 것 같다.

어린이 책 페스티벌

주말 내내 밀린 빨래하고, 잠자고, 평일에 가보지 못했던 곳도 가고, 충분히 쉬었다. 월요일. 출근해서 어린이 책 페스티벌에 쓸 로고를 만들었다. 아트 디렉터인 맥스는 지난 몇 년간 집행된 페스티벌 프로젝트 기획서와 로고를 참고 자료로 주었다. 어린이 책 페스티벌이다 보니 색이 다채롭고, 어린이들이 좋아할 만한 로고와 아이템이 많았다. 그동안 컬러풀한 로고를 많이 보긴 했지만, 색을 배합하고 실제로 형태를 만드는 일은 상당히 어려웠다. 그래서 디자인에 참고할만한 것들을 찾다가 마티스의 컷-아웃 색감과 모양이 귀여워서 참고하며 로고를 생각해보았다.

올해 페스티벌의 콘셉트는 할머니와 할아버지였고, '젊게 살자!'가 슬로건이었다. 네덜란드 말로 할아버지는 O'pas, 할머니는 O'mas인데, O를 두 번 이용하여 안경 형태의 로고를 만들어보았다. 그리고 로고를 포스터, 패키지로 적용하여 제작하는 일까지 하다 보니 대충 머릿속에 생각나는 이미지를 스케치하는 건 쉬워도 실제로 일러스트 프로그램을 이용해 화면에서 구현해내는 일이 어려웠다. 디자인을 전공한 다른 인턴들과 다르게 디자인 프로그램을 단 한 번도 사용해 본 적 없는 내게는 어쩌면 지극히 당연한 일이기도 했다. 아주 간단하고 기본적인 방법도 몰라서 종일 헤맸다. 이상한 건, 이것저것 시도하고, 물어보고, 아무 키나 눌러보니 조금씩 요령을 알게 되있다. 이렇게 조금씩 배워가는 것인가.

Kitchen! Kitchen! Kitchen!

매주 월요일 오전에 주방에서 전체 회의가 있다. 이 회의에는 제작팀, 기획팀, 프로덕션팀, 재무팀, HR팀까지 전부 참석해야 한다. 아침부터 다들 회의 자료를 출력하느라 분주하다. 대부분 얼추 출근했을 즈음, 피터가 주방에서 "Kitchen! Kitchen! Kitchen!"이라고 소리친다. 회의할 거니까 다들 주방으로 모이라는 소리다. 주방 안이 꽉 차서 앉을 곳이 없을 때쯤 회의가 시작된다. 모두 출력한 회의 자료를 하나씩 들고, 피터가 회의를 진행한다. 내용은 주로 진행하고 있는 프로젝트 경과보고인데, 일이 어느 정도 진행되고 있는지, 광고주가 태클을 걸어 대기하고 있다는 상황을 보고한다거나, 일을 진행하다 보니 인력이 부족한데 누가 도와줄 수 있는지 등 다양한 사안을 다룬다. 모든 팀이 다 듣는 회의이기 때문에 상황에 따라서 해결책을 모두 함께 모색한다. 가끔 악덕 광고주를 다 같이 욕하는 경우도 있다. 회의는 영어로 진행된다.

②

조울증

암스테르담 겨울의 어둠은 참 길다. 출근하려고 8시쯤 나가면 거리가 깜깜하다. 그래서 처음 한 달 정도는 밤에 출근하고 밤에 퇴근하는 느낌이었다. 겨울에는 비가 많이 오고, 하늘도 어두워서 좀처럼 햇빛을 볼 수가 없다. 그래서 햇빛이 잠깐이라도 있는 날이면 사람들이 전부 일하다 말고 문 앞에서 담배를 피우거나 커피를 마신다. 낮이 왔었는지도 모르게 해가 빨리 진다. 그래서 왜 유럽사람들이 실내보다 테라스에 앉는 걸 좋아하고, 공원 잔디에서 웃통 벗고 일광욕하는지 이해했다. 나는 햇빛이 쨍쨍 나는 맑은 날보다 흐리고 비 오는 날을 더 좋아했는데, 실제로 이곳에 있다 보니까 이유 없이 우울해지는 빈도가 꽤 잦아졌다.

나뿐만 아니라 이곳 사람들도 조울증이 심한 것 같다. 아침부터 비구름이 껴서 쫄딱 비를 맞아가면서 출근하면 사람들 표정이 어둡다. 그러다가 금세 다시 웃고 떠든다. 그런 모습을 보고 있자니 내 친구들이 나를 봤을 때 저런 느낌이었겠구나, 하고 이해하게 되었다. 사실 나도 갑자기 우울해하고, 커피 한 잔 마시면 또 금방 신나게 웃고 떠드는 사람이니까. 플랫메이트 말로는 일조량이 적은 도시에 살면 비타민D가 부족해서 막 이유 없이 우울해진다던데, 그게 정말인가 보다.

세 아이의 아빠

퇴근하려는데 갑자기 에릭이 저녁 식사에 초대했다. 내 얼굴이 우울해 보였나. 초밥을 엄청 많이 사 가서 에릭 가족과 함께 먹었다. 집에는 에릭 부인과 아이 셋이 있었는데, 첫째는 19살, 둘째는 15살, 막내는 13살쯤 돼 보였다. 에릭은 내게 네덜란드의 보편적인 가정을 보여주고 싶었던 것 같다. 또, 아이들이 다른 문화를 가진 외국인(나)과 저녁을 함께 먹는 경험을 해보길 바랐다. 그것을 매우 의미 있게 생각하는 눈치였다. 회사에서만 보던 직장 상사 에릭도 집에서는 영락없는 세 아이의 아빠였다.

인턴

회사에 인턴이 6명 있다. 제작팀에 나, 아눅, 사나, 알리시아, 프로덕션팀에 알렉스, 재무팀에 라우디. 평소에는 인턴이 한두 명, 많으면 세 명 정도 일했다고 하는데, 이번에는 인턴 풍년이라 인턴들끼리 친해져 자주 놀며 지낸다. 알리시아는 독일 친구인데 내 앞자리여서 가장 얘기를 많이 하는 친구다. 아눅과 사나는 빌럼 더코닝 아카데미 Willem de Kooning Academy에서 광고를 전공하는 친구들인데, 듀오로 일한다(이곳에서는 듀오로 일하는 사람들이 많은 것 같다). 둘은 성격이 진짜 좋아서 모두가 좋아한다. 우리는 일 끝나고 자주 맥주도 마시고 클럽도 간다. 라우디는 재무팀에서 일하는데, 사실 우리 제작팀 인턴들과 많은 교류는 없다. 다른 공간에서 일해서 말할 기회가 별로 없다. 하지만, 점심시간이나 쉴 때 종종 얘기 나누며 점차 친해질 수 있었다. 알렉스는 고등학교를 갓 졸업한 친구인데, 이곳에서 인턴을 하고 있다. 네덜란드에서는 고등학교를 졸업하면 바로 대학에 가지 않고, 직업을 탐구하는 시간을 갖는다. 디자인에 관심 있는 친구들은 디자인 스킬을 배우기도 하고, 배우다가 성향에 맞지 않으면 전공을 바꿔 요리를 배워보기도 하면서 자신이 무엇을 좋아하는지 찾는다. 알렉스도 이곳에서 프로덕션 인턴을 하면서 일을 배웠고, 이번에 필름 아카데미에 합격하여 앞으로 영상 공부를 할 계획이다.

사실 인턴이 많은 게 이례적이어서 우리는 케셀스크라머 인턴 잡지를 만들어보자는 원대한 계획을 세우고 몇 번 회의도 했지만, 무산되었다. 그래도 다른 나라의 내 또래들은 어떻게 노는지, 현재 관심사가 뭔지 알 수 있어서 매우 흥미롭다.

②

수직·수평

수직적 구조에 대해서는 25년 동안 숱하게 경험했기 때문에 너무나 잘 알고 있다. 초등학교부터 학생들이 선생님을 일제히 바라보는 구조라든가 사람이 자주 드나드는 복도 끝쪽부터 인턴, 사원, 대리, 과장, 부장 순으로 앉는 구조라든가. 사장과 인턴이 마주 앉아 밥을 먹는 일은 한국에서는 아직도 흔치 않다. 학생들은 당연히 일제히 선생님을 바라봐야 하고, 사무실 안쪽 자리는 부장부터 앉는 게 맞았으니까. 한 번도 인턴이 앉고 싶은 자리에 앉으면 왜 안 되는지 생각조차 해본 적이 없었다.

그런데 이곳은 빈자리가 있으면 아무나 앉고 싶은 데 앉아도 되고, 가끔 점심시간에 사장과 둘이 벼룩시장에 같이 가서 책도 고르고 밥도 먹으면서 최근 업무 고민을 이야기하기도 한다. 사장이 인턴들 사이에 앉아 같이 밥을 먹거나 자리가 없으면 바닥에 앉아 웃긴 이야기(소위 더치 유머)를 하면서 점심을 먹는다. 적어도 내가 일했던 곳에서는 격식 없이 어울렸다. 사장이 인턴에게 직접 업무를 지시하고, 인턴은 곧바로 사장에게 피드백을 받으며 프로젝트를 진행하는 경우도 많다. 인턴도 프로젝트를 맡아 진행할 수 있고, 대리, 차장을 거치지 않고 바로 사장과 일한다는 것은 굉장히 효율적임을 알 수 있었다. 그렇기에 업무에 대한 책임, 애착이 생기고 성취감도 크다.

하루는 아눅과 사나가 초대해서 빌럼 더코닝 아카데미 광고 수업을 들을 수 있었다. 교수는 단지 발제를 할 뿐이었고, 학생들이 동그랗게 둘러앉아 서로 마주 보며 토론했다. 수업의 80%는 학생들의 주도로 이루어졌다.

그동안 수평적 구조라는 것이 도대체 뭘까 궁금했었는데, 이런 것이 아닐까. 불필요한 격식, 체계를 걷어내고, 상생할 수 있는 효율적인 방식 말이다.

점심시간

케셀스크라머의 점심시간은 30분이다. 회사에서 점심을 제공하기 때문에 금요일을 빼고는 다 같이 점심을 먹는다. 먹은 뒤에는 테이블에 앉아서 얘기하는 사람도 있고, 바로 일하는 사람도 있고, 탁구 치는 사람도 있고, 잠깐 산책하러 나가는 사람도 있다. 정해진 시간은 30분이지만, 바트와 렌스는 매일 1시간 넘게 탁구를 친다. 나도 바로 일하기보다는 사람들과 이야기도 하고, 커피도 마시고, 밖에 나가 일광욕도 하면서 쉰다.

점심시간이 짧은 대신 퇴근이 빠르다. 5시 30분에 퇴근하는데, 대체로 5시부터 부산스럽다. 점심시간을 짧게 쓰고, 대신 일찍 가는 것도 나쁘지 않다. 5시 30분과 6시 퇴근은 은근히 다르다.

②

월급

월급을 받았다. 인턴이라 많은 돈은 아니지만, 이 돈이 너무나도 크게 느껴진다. 서울에서 자취할 때는 장을 보거나 외식을 하거나 여가생활을 즐겨도 돈이 아깝게 느껴지지 않았는데, 여기서 생활하다 보니 10유로, 20유로가 꽤 큰돈처럼 느껴진다. 한번 외식을 하려면 보통 15유로 정도는 드는데, 15유로면 슈퍼마켓에서 고기와 달걀, 1kg 쌀, 우유, 빵, 감자 칩, 사과 몇 개, 요거트를 사서 한참 먹을 수 있다. 생각 없이 돈을 쓰던 내가 이곳에 와서 무언가를 사려 할 때, 몇 번이고 생각하게 된다. 진짜 내게 필요한지 계속 생각하다 보면 처음 생각과는 달리 사고 싶던 것을 쉽게 포기할 줄도 알게 된다.

하지만, 퇴근길에 예전부터 봐둔 50유로짜리 사진집을 사버렸다. P.S. 마음의 양식!

조심

암스테르담에는 자전거를 타는 사람이 많다. 이곳 사람들은 어렸을 때부터 자전거를 타서 그런지 굉장히 거칠게 탄다. 빠른 건 기본이고, 굉장히 아슬아슬하게 차를 피해 다닌다. 생각 없이 좌우를 살피지 않고 자전거 도로 쪽으로 건너면 엄청 성질을 낸다. 하루는 버스를 타고 가다가 운전기사 아저씨가 급브레이크를 밟아서 깜짝 놀란 적이 있는데, 빠르게 달리는 자전거를 피하려던 것이었다. 몇몇 사람들이 크게 다칠 뻔했다. 심지어 인도와 차도, 자전거 도로 경계선이 없는 사거리에서는 트램, 버스, 자동차, 자전거, 사람들이 한데 섞여 건너느라 정신없다. 암스테르담에서 거리를 걸을 때, 차도 조심해야 하지만, 자전거도 조심해야 한다. 관광객들이 자전거 도로로 건거나 좌우를 살피지 않고 걸었다간 욕을 먹거나 크게 다친다.

이사

오스도르프에 위치한 250유로짜리 집에서 튤립 민박으로, 잠깐 암스테르담대학교 기숙사에서 며칠, 한 달간 임시로 머물렀던 암스테르담 외곽 암스텔베인세베흐Amstelveenseweg 350유로 방, 마지막으로 지금의 암스테르담 집까지, 영영 떠돌이로 지낼뻔했지만, 어렵게 정착할 집을 구했다. 그리고 드디어 오늘 새로운 집으로 이사했다. 30kg에 육박하는 슈트케이스, 기내용 슈트케이스, 큰 비닐 가방, 백팩, 크로스백을 다 들고 30분쯤 버스로 이동했다. 잘 견뎠다고 생각했는데, 문제는 달팽이 계단이었다. 짐을 다 들고 4층까지 올라갔더니 팔다리가 후들거렸다. 암스테르담 동네가 훤히 보이는 4층 다락방. 잠깐 숨을 돌리기 위해 침대에 누웠는데 그대로 잠이 들었다. 드디어 내 방이 생겼다! 청소하고, 짐 풀고, 플랫메이트와 동네를 산책했다.

다음날 일요일 아침에 간단하게 점심을 먹고 집에서 회사까지 걸어서 얼마나 걸리나 시험 삼아 걸어봤다. 대략 25분 걸렸다. 수많은 식당과 상점으로 복잡한 도로를 걷다 보면 담Dam 광장이 나오고, 가로질러 서쪽으로 가면 나오는 요르단 지구에는 아기자기한 가게들이 많다. 매일 출퇴근하며 암스테르담 거리를 걸을 수 있어서 행복하다.

P.S. 어느 철학관 아저씨 말이 2015년이 삼재가 나가는 해여서 설 지나면 조금 좋아질 거라고 했는데, 신기하게도 설 지나고 나니 집을 계약할 수 있었다. 이제 집 고민에서 해방. 믿고 싶지 않지만 믿게 되는 예언.

③

❶

아'담 이브닝

전체 구성의 중심이 되는 에세이. 갑작스러운 암스테르담 생활과 케셀스크라머 인턴 디자이너로 일한 경험을 담았다. 암스테르담 벼룩시장과 골목을 누비며 찍은 사진집 〈A'dam Street〉 내재

❷

케셀스크라머

저자가 인턴을 한 광고회사 케셀스크라머 사진집. 오래된 교회 건물을 그대로 쓰는 회사 내외부, 클럽처럼 음악 크게 틀고 일하기, 오가는 더치 유머 속에 회사 대표와 함께 점심 먹기, 무한 제공 공짜 맥주 등 독특한 기업 문화를 생생한 사진으로 엿볼 수 있다. 중간에 '키친!'이라는 장이 책 속의 책 형태로 들어 있는데, 날마다 바뀌는 네덜란드 음식이 소개되어 있음. ①을 읽으며 그때그때 함께 들춰볼 것.

❸

재닛과 요시에게

집 구하기가 하늘의 별 따기인 암스테르담. 저자의 3개월 떠돌이 생활을 끝내준 고마운 플랫메이트에게 보낸 카드 책. 풋풋하고 독특한 그림으로 풀어놓은 집 구하기 대모험.

❹

더치 베일

일 년 내내 공사 중인 암스테르담. 알록달록한 공사장 가림막을 모은 책. 형형색색을 즐기며 책장을 넘기다 보면 묘한 리듬감에 빠져든다. 암스테르담이 늘 공사 중인 이유는 책①을 참조.

❺

이지희 포트폴리오

저자가 caBooks에 보낸 포트폴리오. 케셀스크라머에서 한 흥미로운 작업이 간략히 소개되어 있다. 흥미를 느끼지 못한다면 신문처럼 보고 버려도 되도록 만들었다.

❻

아'담 이브닝 설명서

①-⑤까지, 각 책의 간단한 특징과 관계를 설명한 한 장짜리 책.

Amsterdam
2016

Netherlands

A'dam Evening

설명서

한 권이 여섯 권인 책,
여섯 권이 한 권인 책

① 아'담 이브닝 A'dam Evening
② 케셀스크라머 인턴십
③ 재닛과 요시에게
④ 더치 베일 Dutch Veil
⑤ 이지희 포트폴리오
⑥ 아'담 이브닝 설명서

①의 에세이에 언급된 사물, 사건, 인물, 장소가 ②-⑤에 담겨 있다. ①의 각 꼭지에, 내용상 연결된 책 번호가 표기되어 있다. ①을 읽으며 표기에 따라 ②-⑤를 그때그때 들춰본다. 관련 이미지를 확인하거나 음미. 이도 저도 싫으면 각 책을 따로 즐겨도 좋다.

이 책은 어느 광고학도가 사진 페스티벌에 놀러 갔다가 디자이너로 일하게 되는, 조금 이상한 이야기로 시작한다. 저자는 안티 광고로 유명한 광고사 케셀스크라머에서 우연히 디자인 인턴으로 일하다가 문득, 자신이 진짜 원하는 삶, 걷고자 하는 길을 발견한다. 그래서 그때까지 해온 모든 것을 단숨에 버리고, 새로운 길로 힘차게 나아간다. 이 책에는 그 첫걸음까지의 기록이 있다. 위트 넘치는 글, 그림, 사진으로 6권에 담았다. 단순한 인턴 경험기가 아닌 한 사람이 특정 시공간에서 겪고 느낀 모든 것을 다양한 형태로 표현했다. 각 책은 독립적인 동시에 전체가 하나로 엮여 묘한 하모니를 연출한다.

6

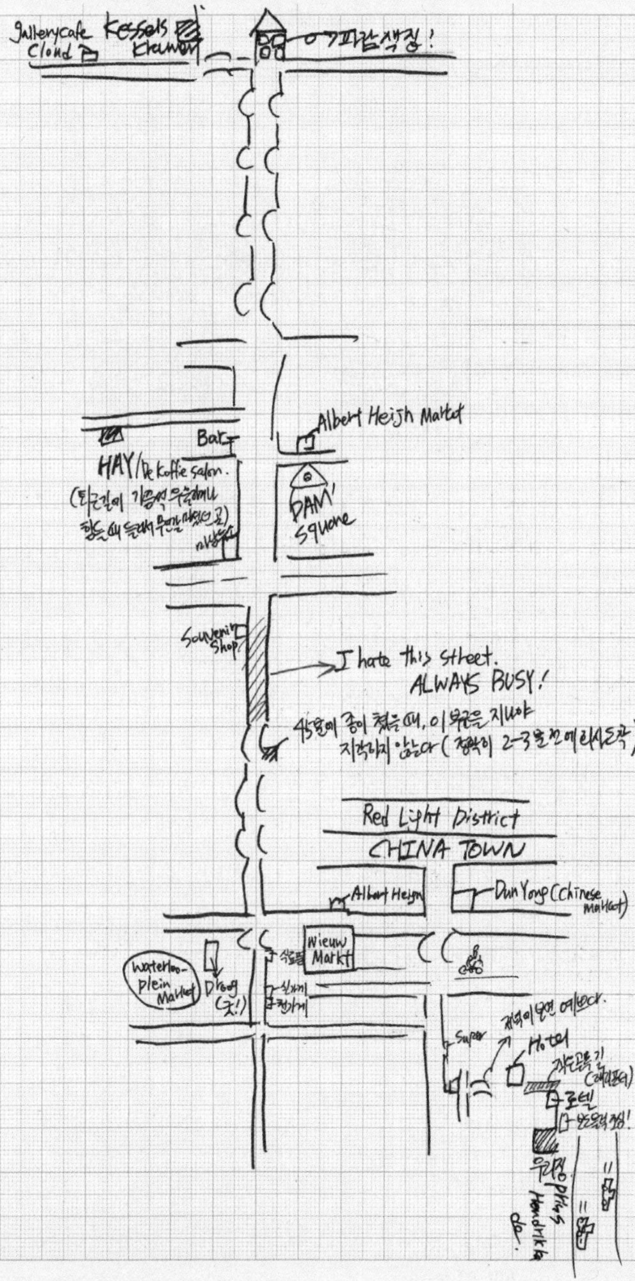

gallerycafe Cloud
Albert Heijn Market
Bar
HAY/De Koffie salon.
DAM square
Souvenir Shop
I hate this street.
ALWAYS BUSY!
Red Light District
CHINA TOWN
Albert Heijn
Dun Yong (Chinese market)
Wieuw Markt
Waterloo-plein Market
Droog
Super
Hotel
호텔

봄. 2016

우중충한 암스테르담에도 드디어 화창한 계절이 왔다.
그러고 보니 이곳에 온 지도 벌써 석 달이 다 되어 간다. 처음 암스테르담에 혼자 떨어졌을 때는 '생존' 문제로 많이 고생하고 힘들었다면 지금은 '발전' 문제로 그러고 있다. 어떻게 하면 더 좋은 아이디어를 낼 수 있을지, 어떻게 하면 사람들의 더치 유머에 웃을 수 있을지 수많은 생각이 계속 머릿속을 꽉 채우고 있다.

한 몇 시간 정도는 아무 생각 없이 잠을 잘 수 있어서 현실을 잠시나마 잊을 수 있다고 생각했지만, 꿈속에서도 수많은 사건의 연속이 쉴 새 없이 나를 괴롭힌다. 모든 일은 꿈속에서나 현실에서나 계속해서 벌어지고 있고, 나는 매일 여러 사건과 고군분투 중이다. 모든 것을 외면하며 살기란 어렵다. 닥치는 여러 사건을 온몸으로 받아들이고 소화해내는 수밖에.

경쟁

오늘은 굉장히 우울했던 하루였다. 바트가 나와 내 앞에 앉은 인턴에게 동시에 일을 주었다. 살짝 감이 잡히지 않아서 앞에 앉은 인턴 친구에게 물어봤다. 그 애는 그것을 알고 있는 듯했지만, 내게 알려주지 않았다. 경쟁인 건가.

디자이너

얼마 전에 일본 무사시노대학교 학생들과 교수가 회사로 견학을 왔다. 타이스는 내가 일본어를 하는 걸 알고, 프레젠테이션을 함께 하자고 했다. 타이스가 나를 소개하는데, 우리 회사의 아트 디렉터 겸 디자이너라고 했다. 순간 조금 놀랐지만, 이내 침착한 표정을 지었다. 고마우면서도 가슴 속에 뭔가 뜨거운 것이 올라오는 느낌이었다. 여전히 나는 초보지만, 처음으로 누군가에게 디자이너로 불려서 행복했다.

텃밭

골목 이곳저곳을 걷다 보면 어디서 은은하게 꽃향기가 날 때가 있다. 정확히 말하면 꽃향기, 풀 내, 흙 비린내 같은 시골 냄새가 난다. 하도 넓어 스프링클러로 잔디에 물을 주는 거대한 미국 앞마당과 다르게 암스테르담 앞마당은 0.5평쯤 되는 아주 작은 텃밭이 많다. 대부분 건물마다 작은 텃밭이 있는데, 거기 사는 사람들이 꽃도 심고 예쁜 풀도 심으며 텃밭을 가꾼다. 벽돌을 세워 울타리를 만들고, 무궁화를 심거나 시장에서 사 온 튤립을 심는다. 사람들 모두 이 일을 대충 하는 법이 없다. 텃밭을 가꾼 주인의 자연스럽고 좋은 감각이 느껴진다. 가끔은 지나가다가 꽃과 함께 사진 찍고 싶을 정도로 탐나는 텃밭도 있다.

그렇게 암스테르담 골목골목을 걷다 보면 분명 나는 도시를 걷고 있는데 시골에 있는 듯한 착각에 빠지게 된다. 가끔 장작 타는 냄새가 나기도 하고, 어렸을 적 시골에서 살면서 맡았던 그 특유의 냄새도 난다.

P.S. 특히 봄철에 가면 좋은 골목: 페르베르스트라트 Verversstraat. 집으로 돌아가는 길에 이 골목을 알게 되었다. 흐드러지게 핀 꽃들이 눈처럼 떨어지는 이 골목을 걸으면서, 아마 천국이 있다면 이런 느낌이 아닐까, 싶었다. 햇빛, 꽃과 식물, 공기가 아름다웠던 골목. 내 인생의 골목.

아이디어

그동안 아이디어를 생각하는 일을 이렇게 강도 높게 해본 적이 없었다. 생각한 것을 시각적으로 발전시켜서 피드백을 받는 일은 항상 무섭지만, 그 뒤에 생각을 다시 다듬는 일은 재미있다.

서로 다른 소재나 상황들을 결합해 완전히 새로운 아이디어를 제시하는 일을 매일같이 하다 보니 좋은 아이디어가 떠오르는 그때를 잡으려고 부단히 노력하게 된다. 그런데 정확한 때는 없는 것 같다. 저번 주에 현대 미술관에서 본 사진에서 패키지 디자인을 구상한다거나 어제 플랫메이트가 창문에 색 테이프로 붙여놓은 비닐을 보고 힌트를 얻는 등 정말 뜬금없는 것에서 아이디어가 나오는 경우가 많다. 무의식 중에 하나라도 보게 될 때, 그게 나중에 알 수 없는 방식으로 툭 튀어나올 때가 있다. 핵심만 잘 붙잡고 나면 세밀하게 푸는 작업은 수월해진다.

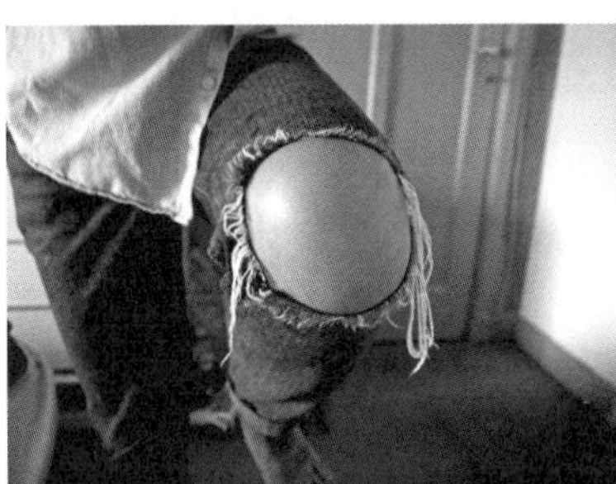

한국 파스타

에릭은 한국 음식을 좋아한다. 심지어 맵고 뜨거운 음식을 먹을 때 속이 '시원한' 느낌을 에릭은 알고 있다. 언제 한번 회사에서 한식을 만들어 줄 수 있겠냐고 몇 번이나 얘기해서 나는 직장 동료들에게 한식을 대접했다. 뭘 만들까 고민하다가 향이 강하고 매운 음식은 모두 먹을 수 없을 것 같아서 잡채랑 만두를 만들었는데, 사람들이 잡채를 생각보다 진짜 좋아했다. 채식주의자도 있어서 그들을 위한 잡채에는 돼지고기 대신 버섯을 넣었다. 꽤 많은 양을 만들었는데, 5분도 안 되어 잡채가 동이 났다. 당면을 처음 먹어 본 동료들은 당면을 어디서 구하는지 물어보기도 하고, 롯데와 나탈리는 잡채 조리법을 물어보기도 했다. 처음 해본 잡채가 생각보다 반응이 좋아서 나 또한 기분이 좋았다. 후식으로는 막걸리를 가져갔는데, 막걸리는 역시 호불호가 갈렸다.

P.S. 독일 한인 식당에서 후식으로 팥빙수를 처음 먹었다는 에릭은 팥빙수를 아주 싫어한다.

데드라인

업무를 받으면 내가 항상 했던 말은 '언제까지 주면 돼?'였다. 그때마다 사람들은 의아하게 나를 쳐다보며, "데드라인은 없는데, 다음 주쯤이면 되려나?"하고 모호하게 말하고는 했다. 그 후 한 달 정도 일하다 보니 사람들이 그런 표정을 지은 이유를 조금 알 수 있었다.

데드라인은 없다. 이번 주 목요일까지는 꼭 달라는 식의 기한이 없다. 다만 언제가 프레젠테이션이니 알아서 미리미리 준비하고, 피드백을 받아야 한다. 그래서 이제는 첫 번째

프레젠테이션이 언제인지를 묻는다. 그때에 맞게 스스로 기한을 설정하고, 중간중간 피드백을 받는 형식으로 바뀌었다. 그래서 업무를 받으면 하루 내내 만들고, 다음 날 아침에 피드백을 받고, 또 수정해서 피드백을 계속해서 받는다.

사실 나는 디자인을 전공하지 않았기 때문에 손이 느리다. 디자인 전공한 인턴들이 5개 만들 때 2-3개도 겨우 만들어내는 속도. 픽셀 하나하나까지 깨끗하게 다 지워야 직성이 풀리는 성격이라 항상 느렸지만, 계속하다 보니 이것도 나름 속도가 붙는다. 하지만, 다른 직원들의 속도를 따라가려면 퇴근해서도 계속 만들어야 하고, 주말에도 계속 일해야 한다. 굳이 정해놓은 데드라인은 없지만, 그렇게 해서라도 따라가야 한다. 주말에도 계속 생각하고, 밥 먹으면서도 마음 편하게 아무 생각 없이 지낸 적이 단 한 번도 없는 것 같다.

야근은 대체로 없는 대신 근무 강도가 세기 때문에 근무시간 내에 최대한 집중해서 일하고 정시에 퇴근한다. 우선 업무를 받으면 되도록 빨리 보고를 받는다. 예를 들어, 어제 오후에 업무를 받았다면 최대한 집중해서 빨리 업무를 끝낸 뒤 다음 날 아침에 피드백을 받는다. 그만큼 업무 집중력도 높고 손도 빠르다. 그리고 일을 굉장히 시원시원하게 처리하기 때문에 세세한 디테일보다는 큰 숲을 보며 일하는 느낌이 들었다.

슬럼프

어떠한 아이디어나 생각이 사람들에게 좋은 반응을 얻지 못할 때 사실 조금 우울하다. 어쩌면 당연한 일일 수도 있지만, 뭔가 프로젝트에 도움이 되고 싶은데 그러지 못하는 상황이 될 때마다 자신에게 화가 나기도 한다. 그래서 더 열심히 하려 하지만, 그럴 때마다 작업에 힘이 들어가는 이유는 왜일까. 우선은 내가 할 수 있는 일에 최선을 다 해보는 것이겠지만, 이 최선이 정말 최선의 방법일까, 하는 의문이 들기도 한다. 의욕은 없는데 어떻게든 만들다 보면 작업에 오기가 들어가서 안 하느니만 못한 경우도 있었다.

어느 날은 아무 부담 없이 가져간 아이디어가 예상보다 반응이 좋아서 기분이 굉장히 좋고, 또 어느 날은 내가 나를 다잡지 못하고 더 깊은 늪으로 빠져버린다. 오늘은 후자의 날이다. 무언가를 열심히 하는 건 분명 좋은 일인데 왜 자꾸 내 생각과 실력에 의문을 갖게 될까. 오늘은 퇴근하고 바로 집에 가지 않고, 가까운 카페에 들러서 카푸치노라도 한 잔 마시고 들어가야겠다(퇴근 30분 전).

첫날의 충격은 시간이 지나면서 점점 흐릿해지기 마련이다. 그 날의 충격, 신선함은 잊은 채, 점점 이곳에서의 생활이 무감각해질 무렵, 날마다 있었던 일을 억지로라도 기록해두어야겠다고 생각했다. 내가 이곳에 오기까지 회사와 내가 수많은 메일을 보냈고 비자, 정착 문제로 못 올 수도 있었지만, 간신히 와서 사람들과 즐겁게 일하고 있다는 것 자체만으로도 얼마나 황홀한 일이냐. 초심을 잃지 말 것 (퇴근 후, 카페에서).

WORK
HARD
&
BE NICE
TO PEOPLE

에릭 자리는 2층 오두막에 있다. 그 오두막에 올라가려면 삐걱거리는 나무 계단을 올라가야 한다. 이름하여 '피드백 계단'. 동료들이 피드백을 받으러 오르내리느라 삐걱대는 소리가 끊이지 않는다. 나도 에릭이 준 일을 정리해서 점심시간 전에 올라갔다. 야외 포토 북 페스티벌에 필요한 프로그램 아이디어 제안이다. 주로 놀이공원에 있는 아이템을 생각했는데, 놀이공원엔 놀이 기구뿐만 아니라 편의 시설, 기념품 가게, 잔디밭, 분수 등 다양한 것이 있기에 포토 북 페스티벌과도 잘 맞을 거로 생각했다.

저번 여름에 파리에 놀러 갔다가 우연히 튀일리 정원에 갔는데, 너무 유쾌했던 기억이 있어서 그곳을 떠올리며 아이디어를 구상했다. 사실, 너무 허황된 생각이면 어쩌나 걱정 반 설렘 반으로 아이디어를 들고 올라갔는데, 생각보다 에릭이 좋아해서 나도 기분이 좋았다. 특히 포트폴리오 리뷰 아이디어는 자신 있던 터라 가장 앞에 넣었는데, 다행이었다.

한참 피드백을 받고 자리로 가려니까, 에릭이 북 마켓에 가보지 않겠냐고 해서 따라나섰다. 금요일마다 열리는 북 마켓인데 회사에서 멀지 않다. 가는 길에 에릭이 이곳저곳 알려줬는데, 일부였지만 어느 정도 네덜란드를 알 것 같았다.

에릭이 점심으로 하링(소금에 절인 청어)이라는 네덜란드 전통 음식을 사줬다. 양파와 피클을 곁들어 먹으니 비린 맛도 덜하고 괜찮았다. 돌아오는 길에 에릭에게 속마음을 얘기했다. "나는 디자이너도 아니고, 영어도 잘 못 해서 내가 이곳에서 할 수 있는 것은 아이디어를 내고 그것을 아주 기초적으로 시각화하는 정도여서 걱정이다."라고 했더니 에릭은 "디자이너, 카피라이터로서 일을 잘 해내는 것도 중요하지만, 요즘은 그

경계가 허물어지고 있고, 모호하기 때문에 멀티 플레이어가 되어야 해. 카피라이터가 글만 잘 써서 되는 시대가 아니라 글도 쓰고 사진도 찍고 디자인 안목도 갖고 있어야 하거든. 모르는 건 물어봐."라고 말했다.

에릭의 말을 들으니 마음이 좀 놓였다. 내가 아이디어를 표현하는 일에 조금 미숙해도 최선을 다해 볼 생각이다. 회사로 돌아와서 에릭은 회사에서 만든 광고 책을 빌려주었다. 영어라서 읽는데 시간이 좀 걸릴 것 같지만, 이곳에서 할 수 있는 것을 포기하지 않고 즐기며 해야겠다.

②

외로움

월화수목금 아홉시부터 다섯시 반까지 일하다 보면, 일주일이 언제 이렇게 간 건지, 싶을 때가 있다. 외롭거나 쓸데없는 공상을 하는 횟수도 현저히 줄어든다. 그러나 오늘같이 날씨가 너무 좋은 날에는 급격하게 외로워진다. 햇빛도 너무 좋고, 공기도 좋고, 눈앞에 보이는 풍경들도 비현실적으로 아름답고, 카페에서 흘러나오는 음악마저 너무 좋은데 이 모든 좋음을 나 혼자 누릴 수밖에 없을 때, 정말 외롭다. 이 완벽한 도시에, 궁짝이 맞는 친구 한 명만 있으면 참 좋겠다.

개똥 지뢰

이곳에 있으면서 땅을 보고 걷는 버릇이 생겼다. 사방에 개똥이 있기 때문이다. 나는 이 개똥들을 '개똥 지뢰'라고 불렀는데, 사람이 걷는 인도나 심지어 출입문 앞 한가운데에 떡 하니 놓여 있는 경우도 있다. 언제 어디서 밟을지 모르는 개똥 지뢰를 피하기 위해서는 내가 알아서 땅을 잘 보고 다니는 수밖에 없다. 이렇게 많은 개똥이 길에 있다는 건 솔직히 말도 안 된다. 더럽다. 개똥 지뢰가 줄어든다면 암스테르담 거리가 굉장히 쾌적할 텐데. 오늘도 나는 땅을 보며 걷는다.

①

공유

맥스가 주말에 산 사진 책을 회사에 들고 와서 보여주었다. 그리고 또 하루는 한국 사진작가가 찍은 해녀 사진 시리즈를 보여주며 이런 것 본 적 있냐고 해녀에 관해 묻기도 했다. 회사 사람들은 좋고 흥미로운 걸 발견하면 혼자만 알지 않고, 공유하고 생각을 나눈다. 그래서 나도 좋은 것을 발견하면 사람들에게 얘기하거나 함께 전시를 보러 가기도 한다. 그렇게 생각을 공유하다 보면 내 관점에서 봤을 때는 30%밖에 보이지 않던 것이 80~90%로 더 풍부해지는 느낌이 들 때가 있다.

금요일

금요일에는 이번 주에 있었던 모든 프로젝트를 일단락 지어야 하는 부담감(?)이 있다. 금요일에 피드백을 받고, 그것을 토대로 주말 동안 생각해서 월요일에 새로 적용해보는 패턴이다.

동료들은 굳이 그러지 않아도 된다고 하지만, 내게 이런 습관은 마치 강박 같은 것이다. 그래서 금요일 퇴근 전에 이번 주 업무들을 메일로 보내거나 작업물을 들고 직접 피드백을 받는다. 피드백을 받음과 동시에 또 새로운 프로젝트를 받기 때문이다. 오늘도 새로운 업무를 받았는데, 네덜란드 유네스코와 관련된 일이었다. 네덜란드엔 유네스코에 등재된 10개의 문화유산이 있는데, 그것의 기념품을 디자인하는 일이었다. 대략의 콘셉트 방향과 계획을 설명하고 참고할 자료들을 한가득 받았다. 조금 어려운 업무일 수도 있겠다는 생각이 들었다. 다음 주에 본격적으로 시작하려면 이번 주말에 네덜란드 문화유산에 대한 공부를 좀 해야 할 것 같다. 한동안은 힘들더라도 금요일에 업무를 끝내서 혹시 모를 새로운 일에 관해 생각할 시간을 가져야겠다.

⑤

저녁

5시 30분이면 퇴근한다. 5시만 되어도 슬슬 퇴근하는 사람들로 부산스럽다. 6시 30분이면 회사에 사람이 별로 없다. 간혹 개인 작업을 하거나 내일 프레젠테이션이 있어서 조금 더 남아 있는 사람도 있지만, 8시 30분이면 다 나간다. 야근해봤자 3시간 이내다. 퇴근 뒤에는 보트에 맥주와 치즈를 싣고 운하를 돌며 친구들과 놀거나 혹은 장을 봐서 저녁 준비를 하는 게 일상이다. 소박하고 여유로운 저녁 시간의 의미를 생각해본다.

자전거

암스테르담에서 자전거는 사람 다리와 같다. 그만큼 모두가 자전거를 타고 출퇴근, 등하교한다. 3살짜리 아이도 작은 페달을 야무지게 밟아가며 자전거를 탈 정도다. 그래서 처음 이곳에 왔을 때 회사 동료들이 내게 안부처럼 물었다. 자전거는 샀니, 자전거는 탈 줄 아니, 탈 줄 모르면 가르쳐줄게. 자전거는 암스테르담 생활에 필수다. 하지만, 나는 결국 자전거를 타지 않았고, 사지 않았다. 한 걸음 걸을 때마다 새롭고 신기하고 매력적인 것들이 너무 많은데 자전거를 타면 잘 볼 수 없게 될 테니까. 만약 누군가 이 글을 읽고 있다면 그리고 그가 암스테르담 이방인이라면, 자전거를 타지 말고 두 발로 걸으며 천천히 매력적인 것들을 눈으로 귀로 담았으면 좋겠다. 암스테르담의 골목은 빨리 지나칠수록 손해 받는 느낌이 든다.

①

튤립

나는 돈을 주고 꽃을 사본 적이 별로 없다. 내가 꽃을 사지 않는 이유는 꽃이 시들어서 쓰레기통에 버리는 순간이 싫어서다. 말라버린 꽃을 버리는 일은 어쩐지 서글프다. 그래서 나는 주로 들판에 아무렇게나 핀 꽃이나 풀을 보기 좋아한다.

그런데 네덜란드에 와보니 사방에 꽃이다. 들판과 텃밭에는 물론이고, 실내에도 꽃으로 가득 차 있다. 한겨울에도 꽃이다. 아마도 꽃이 없는 집은 거의 없을 것이다. 우리 회사 같은 경우도 주기적으로 꽃을 간다. 일주일에 한 번 꽃을 주문해서 로비, 책상, 식당 테이블 등 곳곳에 꽂아둔다. 돈을 주고 꽃을 사는 일에 인색한 내가, 가는 곳마다 꽃을 보다 보니 어느새 나도 꽃을 사고 있었다. 퇴근길에 슈퍼에서 장을 보다가 꽃이 너무 예뻐서 연분홍색 튤립을 샀다. 튤립을 제철에 사면 2.50유로에 살 수도 있다. 그중에서 나는 보라색, 노란색, 연분홍색 튤립을 가장 좋아한다. 너무 예뻐서 안 살 수가 없다. 나는 사계절 내내 튤립이 피는 줄 알았는데 봄이 지나면 튤립이 없다. 대신 여름에는 해바라기가 제철이다. 우리가 과일 제철을 따지듯, 이곳에서는 꽃 제철을 따진다. 튤립을 좋아한다면 봄에 많이 봐두시라.

회사에는 내 무릎 높이만 한 달마티안 인형이 있다. 도자기로 만들어졌는데, 어느 날 누군가 실수로 그 인형 머리를 깨트렸다. 관상용으로는 쓸모없어진 인형에 어떤 동료가 물을 채우고 꽃을 꽂았다. 꽃병으로 다시 태어난 달마티안은 인제 우리 회사의 명물이다. 매주 꽃이 바뀌는데, 해바라기, 튤립, 수선화 등 다양하다. 내가 보기에 달마티안에게는 튤립이 가장 잘 어울린다.

②

느린 일 처리

나의 플랫메이트 재닛은 병적일 정도로 완벽주의자다. 이미 몇 번이고 확인한 사실을 또 확인하고, 본인이 정한 일정이 하나라도 틀어지면 안 되고, 어쩌다 변수가 생기면 무척 스트레스받는 성격이다. 사실 나는 재닛의 성격을 좀처럼 이해할 수 없었는데, 암스테르담에서 살다 보니 그녀의 성격을 이해하게 되었다. 왜냐하면, 한국과 다르게 이곳에서는 대부분 일 처리가 매우 느리고, 변수가 생길 가능성이 크기 때문이다. 네덜란드 온라인 서점에서 책을 하나 구매해서 받기까지는 넉넉하게 2주일이 걸린다. 주문했다는 사실을 잊을 때쯤 물건을 받고는 한다.

암스테르담에서 거주 등록, 의료 보험, 세금과 같은 서류를 처리할 때 같은 사항을 두고도 관계자끼리 답변이 제각기 조금씩 달라서 적어도 3번 정도는 물어보고 확인해야 비로소 문제를 해결할 수 있었다. 어떤 문제든 찬찬히 내용을 들여다보고, 현지 사람들에게 계속 물어보면서 아주 느리게 해결하다 보니 어느새 재닛의 성격을 조금씩 닮아가고 있다.

해와 바람

암스테르담에 비바람이 심하게 부는 날에는 우산을 쓰면 안 된다. 하루는 우산을 쓰고 온몸으로 비바람을 막아보려 했는데, 순간 우산이 뒤집히면서 무기로 변해버렸다. 바람이 너무 세서 내가 이 우산을 놓쳐 버리면 우산이 빠르게 날아가면서 누군가를 다치게 할 것 같았다. 그래서 비바람이 심하게 부는 날에는 밖에 나가지 않거나 우비를 입고 다닌다.

암스테르담의 비바람은 사람이 다칠 정도로 위력이 대단한데, 큰 나무가 꺾여 주변에 서 계시던 할머니가 돌아가시고, 기차 노선도 전부 지연될 정도로 무섭다. 그러다가 또 언제 그랬냐는 듯 갑자기 해가 쨍쨍 나기도 한다. 변덕스러운 암스테르담 날씨에 한동안 적응하기가 힘들었다.

어렸을 적 읽었던 이솝 우화 중에 '해님과 바람'이 생각난다. 해와 바람이 누가 더 힘이 센지 겨루며 지나가던 남자의 외투를 먼저 벗기는 대결을 펼치는데, 마치 그 남자가 암스테르담 사람들 같다.

노력

하루는 에릭과 직장 동료들과 함께 어떤 전시 오프닝 참석차 독일 쾰른으로 갔다. 암스테르담에서 쾰른까지 차로 4시간 정도 걸린다. 행사를 다 마치고, 자정쯤 암스테르담으로 돌아오는 차 안에서 놀라운 광경을 봤다. 차에 타자마자 에릭이 노트북을 켜고 일을 하기 시작했다. 다들 무척 피곤한 상태였고, 나는 조수석에서 졸다가 한참 지나서 눈을 떠보니 새벽 2-3시쯤이었는데, 에릭은 계속 일을 하고 있었다. 곁에서 봤을 때는 화려하고 여유 있어 보여도 밤낮, 장소 가리지 않고 일하는 에릭을 보며 타고난 재능도 중요하지만, 노력 없이는 성공할 수 없음을 알았다.

5월

어느덧 5월이 왔다. 봄이지만 이곳은 여전히 춥다. 우리나라 같았으면 얇은 티셔츠를 입고 다닐 때인데, 이곳에서는 5월까지 코트와 목도리를 걸칠 수 있어서 참 행복하기도 하지만, 가끔은 날씨가 풀어져서 쪼그라든 내 몸과 마음도 조금 풀어지면 좋겠다.

에릭

평소 에릭이 좋아하는 것을 나도 좋아하고, 내가 소소하게 만든 것을 에릭이 관심 있게 봐주기도 한다. 둘 다 진짜 쓸데없는 짓 하기를 참 즐겨서 낄낄거릴 일이 잦았다. 에릭은 내게 멘토이자 선생님인 사람이다. 그의 무의식적인 행동을 지켜볼 수 있도록 벼룩시장이나 북 마켓, 가정집, 전시, 포럼 같은 곳에 함께 다닐 기회를 준 게 지금 와서 보면 무척 큰 호의였다.

②

휴가

이곳에서는 1년 동안 일하면 한 달 휴가를 쓸 수 있다. 이 제도는 인턴에게도 마찬가지로 적용된다. 그리고 아이가 있는 동료는 매주 수요일마다 휴가를 써서 주 4일만 출근한다. 여름 휴가를 한 달 통 크게 쓰고 돌아오는 사람도 있다. 우리나라에도 휴가는 있지만, 만약 한 달 통 크게 썼다간 평생 통 크게 놀아야 할 수도 있다. 생각을 짜내야 하는 크리에이티브 업계에서 1년 365일을 아웃풋만 내놓으면 언젠가 소재며 에너지가 떨어질 때가 오는데, 이렇게 긴 휴가를 사용하고 장려하는 문화는 꼭 필요하다고 생각한다. 이렇게 인턴이든 사장이든 한 달을 온전히 휴가로 쓰게 되면 업무 때문에 미뤄뒀던 개인 작업을 할 수도 있고, 여행하면서 영감을 얻고 소재를 찾을 수 있는 시간이 생긴다.

나는 그동안 한 번도 휴가를 쓰지 않았다. 인턴 친구들은 휴가를 내고 일주일 동안 오지 않은 경우도 있었지만, 나는 선뜻 일주일이라는 시간을 휴가로 쓰기가 눈치 보였다. 그러던 차에 인사팀 직원이 휴가를 쓰라고 권유해서 언니가 유럽에 오는 때에 맞춰 일주일 휴가를 냈다. 그러고도 일주일을 더 쓸 수 있었다. 누구 하나 눈치를 주는 사람도 없었다. 에릭은 심지어 여름 휴가 명목으로 한 달 반을 쉬기도 했다.

그동안 암스테르담에 있으면서 여행할 생각을 하지 않았다. 암스테르담이 좋으니까 굳이 여행 가지 않아도 답답하거나 지루하지 않았다. 주중에 일이 끝나면 인턴 친구들과 술을 마시거나 금요일엔 클럽도 가고, 주말엔 플리마켓을 돌며 이것저것 구경하는 재미가 있었기에 굳이 다른 도시를 여행하고 싶다는 생각이 들지 않았다.

불과 며칠 사이에 날이 풀렸다. 날이 좋아지니 어디론가 떠나고 싶은 마음이 갑자기 들었다. 이 시기에 맞춰 언니가 유럽으로 여행을 왔다. 언니는 직장인이라서 현충일과 주말을 이용해서 되도록 휴가를 적게 쓰는 전략으로 왔기에 이번 여행은 의미가 꽤 컸다. 언니는 예전부터 파리에 가고 싶어 했다. 그래서 파리에서 3일 머물고, 일주일은 암스테르담에서 머물기로 했다. 나도 일주일 휴가를 내고, 언니를 만나러 오랜만에 스히폴 공항으로 갔다.

우리는 파리로 갔다. 언니는 암스테르담보다 파리에 더 많은 기대를 하고 온 눈치였다. 파리에 도착해서 숙소를 찾아가는데 비행기에서 먹은 샌드위치가 좋지 않았나 보다. 샤를 드골 공항에서 파리 시내로 들어가는 만원 지하철에서 배가 너무 아팠다. 식은땀이 나고 손이 떨리는 지경까지 갔다. 한참 뒤 위장이 간신히 소강상태를 이루어 동네로 나갈 수 있었다.

그러나 이것은 시작에 불과했다. 150년 만의 대홍수로 루브르, 오르세, 오랑주리 미술관 등이 다 문을 닫았고, 언니가 그토록 가고 싶어 하던 모네의 정원 지베르니도 문을 닫았다. 언니 표정이 좋지 않았다. 나는 얼마 전에 파리에 다녀와서 괜찮았지만, 언니는 30년 인생 처음으로 마주한 파리였기에 상심이 매우 커 보였다.

나는 주로 혼자 여행하는 것을 좋아한다. 이번에 언니와 처음으로 여행하면서 느낀 점은 여행 스타일이 매우 다르다는 것이다. 나는 즉흥적이어서 여행할 때 굵직하게 가고 싶은 몇 군데만 정하고, 나머지는 정하지 않는다. 길을 가다가 어떤 골목이 끌리면 그리로 새기도 하고, 빵 냄새가 좋으면 빵 하나를 사서 한 끼를 대충 때울 때도 있고, 무심코 걷다가 예쁜 카페를 발견하면 미술관을 가던 길에도 카페에 잠깐 들러 커피를 마시기도 한다.

하지만, 언니는 정해놓은 스케줄대로 움직여야 하고, 심지어 음식점과 카페까지 미리 알아두고 가야 하는 성격이다. 아마 대책 없는 동생과 다니느라 언니도 아주 힘들었을 것이다. 하지만, 나도 언니의 철저한 여행 방식이 마음에 들지 않을 때가 많았다. 조금 여유를 갖고 보면 원래 가려던 곳보다 지금 이곳이 더 좋을 때도 있는데. 뭐, 언니의 여행 방식이 실용적이긴 하다. 헤매지 않아도 되니까.

3일 내내 날씨는 오락가락했고, 언니 기분도 오락가락했다. 쨍쨍한 파리였으면 더 좋았겠지만, 비 오는 우중충한 파리도 나는 내심 설레고 운치 있어 좋았다. 언니는 신혼여행 때 파리에 다시 오는 거로.

모네와 드뷔시

나는 미술관에서 작품을 감상할 때 그 작품과 맞는 음악을 찾아 듣는 습관이 있다. 처음 혼자 오랑쥬리 미술관을 갔을 때, 저녁에서 밤으로 가는 어스름한 모네의 정원 색 변화와 드뷔시의 〈달빛〉이 너무나도 잘 맞는다고 생각했다. 그래서 다시 찾은 오랑쥬리 미술관에서 언니에게 그 곡을 들려주었다. 언니는 의자에 앉아 〈달빛〉을 들으며 모네 작품을 한참 바라보았다. 언니와 파리에 관해 이야기할 때마다 드뷔시와 모네 이야기를 한다. 그때 그 드뷔시와 모네의 조합이 참 좋았다고.

P.S. 파리에 가기 전에는 영화 〈아멜리에〉 풍의 음악만 생각했는데, 실제로 내가 돌아다니면서 무한 재생했던 곡은 낮에는 드뷔시의 〈No. 2 In G Major L. 66〉, 밤에는 Nina Simone 〈You'll Never Walk Alone〉이었다. 음악으로 상황을 기억하기.

공효진-류승범 구도로 부탁해요

에펠탑 앞에 가면 무리 지어 다니는 한국 관광객을 쉽게 볼 수 있다. 나와 언니는 한국인 관광객에게 "공효진 류승범 사진처럼 부탁드려요."라고 수줍게 부탁했다. 그 사람은 미묘한 웃음을 띠며 단번에 그 말을 알아듣고, 그 구도로 정확하게 잘 찍어주었다. 우리도 온 정성을 다해 그분의 '인생샷'을 남겨주기 위해 노력했다. 한국인들의 사진 품앗이는 이곳 프랑스 파리에서도 통한다. 그 광경은 참 웃기면서도 묘한 동질감을 자아낸다.

다시 암스테르담

탈리스를 타고 암스테르담에 도착했다. 마치 집에 온 듯 긴장이 풀리고 마음이 편했다. 하지만, 걱정이 앞섰다. 암스테르담에는 다른 도시와 다르게 이렇다 할 관광지가 많지 않다. 고흐 미술관, I amsterdam 조형물, 운하 크루즈 정도뿐. 관광을 하자면 진짜 볼 것 없는 도시다.

며칠 지나고 나니 언니를 데려갈 곳이 없었다. 그냥 내가 좋아하는 카페들, 골목, 책방 등을 돌아다니며 산책하는 것이 전부였다. 암스테르담에 있는 동안 언니 표정이 심란해 보였다. 그러더니 한숨 쉬며, "이 도시는 짧게는 한 달, 길게는 몇 년 살면 좋을 것 같아. 관광보다는."라고 했다. 그 말에 참 공감이 갔다. 사실 암스테르담은 그냥 정처 없이 이 골목 저 골목 돌아다니면서 사소한 것들을 보는 재미로 다녀야 좋다.

①

배웅

언니랑 함께 여행하면서 스케줄에 맞춰 빡빡하게 움직여야 하는 일이 많았다. 관광지에 가는 것에서부터 음식, 카페, 쇼핑까지. 그렇게 힘든 시간이 흐르고, 공항에서 언니를 배웅하고 돌아오는 기차 안에서 눈물이 났다. 언니는 얼마나 기대를 하고 왔을까. 어쩌면 다시는 못 올 수도 있는 곳을 너무 무심하게 내 생각만 한 건 아닐까. '난 원래 계획 없이 다녀. 그러니까 언니가 다 정해. 그냥 난 따라다닐게.'라는 태도에 언니는 얼마나 속상했을까. 집으로 가는 발걸음이 무거웠다.

고흐라는 사나이

고흐 박물관을 지나칠 때마다 길게 늘어선 줄 때문에 포기했는데, 언니가 놀러 온 김에 나도 처음으로 가봤다. 그리고 언니가 가고 난 후 혼자 고흐 미술관을 다시 찾았다. 〈해바라기〉, 〈아를의 반 고흐 방〉, 〈자화상〉에는 사람들이 켜켜이 둘러싸고 부산스러웠지만, 그 밖의 그림은 감상하기에 별 어려움이 없었다. 그중에서도 가장 기억에 남는 작품은 고흐가 습작한 손 그림이다. 〈감자 먹는 사람들〉 바로 옆에 주목받지 못한 채 걸려있는 조잡한 그 그림을 보고 한동안 자리를 뜰 수 없었다. 왜냐하면, 그림 그리는 사람들 사이에서 '손' 그리기가 가장 어렵다고 하기 때문이다. 나도 가끔 스케치를 하면 어려워서 그냥 대충 뭉뚱그려 그리는 버릇이 있는데, 단 한 번도 손을 제대로 그려봐야지, 하고 생각한 적이 없다. 수백 번, 수천 번 사람 손만 그린 고흐란 사나이도 있는데 그동안 나는 내가 못 하는 일을 애써 외면하며 시도조차 하지 않았다. 얼굴이 화끈거렸다.

〈감자 먹는 사람들〉을 시작으로 그린 순서대로 보고 있으면 고흐의 화풍 변화를 볼 수 있다. 첫 전시실에서는 대부분 작품에 색의 사용이 다채롭지 않고, 어둡고, 축축해서 그림을 손으로 만지면 덜 마른 물감이 기름때처럼 찐득하게 묻어나올 것만 같았다. 두 번째 전시실로 들어서는 순간 화사한 봄처럼 색의 사용이 다채롭다. 하지만, 프랑스 특유의 화려하고 예쁜 느낌만 들고, 고흐 고유의 화풍이 드러나지 않다가 아를로 가면서 고흐의 개성이 나오기 시작한다.

고흐의 화풍 변화를 보며 문득 이런 생각이 들었다. 사람의 진짜 개성은 하루아침에 딱, 하고 나타나는 게 아니라 수많은 시행착오와 시도 속에서 조금씩 발전하고 변화하는 거라고. 만약 고흐가 파리로 떠나지 않았다면 색 쓰는 방법을 몰랐을 것이고, 파리에서 안주하고 아를로 가지 않았다면 그만의 개성을 발견하지 못한 채 여느 프랑스 작가들과 비슷한 그림을 그렸을 것이다. 이 모든 선택에서 하나라도 없었다면 지금의 고흐가 있을까. 그리고 성급하게 나만의 개성을 빨리 만들고 싶었던 나를 돌아봤다. 평생에 걸쳐 노력해도 자신만의 색깔을 찾는 게 그토록 어려운데, 몇몇 건방진 생각들로 개성을 만들고 싶다고 생각하다니. 오늘 고흐 미술관에서 여러 가지 느낀다.

여름. 2016

우리 집 옷 냄새

여름옷을 꺼내려고 창고에 몇 달 동안 처박아둔 큰 슈트케이스를 오랜만에 열었다. 진공포장 팩 안의 옷들은 엄마가 진공청소기로 꾹꾹 눌러 담아준 모양 그대로였다. 옷을 정리하다 보니 여름옷에서 한국 냄새가 난다. 엄마가 수년간 쓰던 섬유유연제 향의 우리 집 옷 냄새. 한동안 한국에 대한 그리움은 잠시 잊고, 이곳에서의 삶에 집중하다 보니 익숙했던 이 냄새가 낯설게 느껴졌다. 우리 집 옷 냄새가 점차 옅어져 갈 때쯤, 나의 향수병도 조금씩 무뎌져 갔다.

비

아침에 눈을 떴을 때, 실내가 어두우면 종일 흐릴 거라고 직감하게 된다. 그런 날이면 이불을 걷어내고 화장실로 가는 발걸음이 아주 무겁게 느껴진다. 하루 휴가를 내고 싶다. 대충 양치를 하고 머리를 감으면 또 언제 피곤했냐는 듯 정신이 말짱해지지만, 집에서 20분이나 걸리는 회사를 어떻게 걸어갈지 걱정이 앞선다. 방수에 취약한 검은색 컨버스화는 제쳐두고, 비에 젖지 않는 두꺼운 운동화를 골라 만반의 준비를 하고 집을 나선다. 이곳 사람들은 비가 오는 날에도 바람이 부는 날에도 자전거를 타고 출퇴근한다. 우비를 입거나 한 손으로 우산을 들거나 바람이 너무 불어서 우산을 들 여건이 되지 않으면 온몸으로 비를 맞으며 앞으로 나아간다. 내게는 낯선 광경이다. 어렸을 때부터 비 맞으면 감기 걸린다는 엄마의 성화에 보슬비에도 항상 우산을 쓰고 다녔다. 호들갑을 떨며 근처 편의점에 들어가 투명비닐 우산을 사다 보니 5개 넘게 있다.

퇴근길에 소나기가 왔다. 아침에 다른 가방을 챙겨 나오는 바람에 항상 들고 다니던 우산을 놓고 왔다. 서점 천막 아래서 걱정하다가 어쩐지 그러고 있기 싫어서 그냥 비를 온몸으로 맞았다. 아침에 얼굴에 발랐던 파운데이션의 노란 물방울이 흐를 만큼 흠뻑. 정말 상쾌했다. 온몸으로 비를 맞아본 게 언제쯤이었나.

견학

일주일에 한 번꼴로 많은 사람이 견학을 온다. 주로 대학생들이 단체로 오는 경우가 많고, 때에 따라 회사나 관공서 사람들도 와서 회사 투어를 한다. 회사 곳곳에 성당의 흔적이 남아있고, 군데군데 이상하고 웃긴 사진이나 물건이 뜬금없이 놓여있어서 케셀스크라머만의 개성이 느껴지기도 한다. 이유는 모르겠지만, 일본사람들이 특히 자주 방문한다. 가끔은 우리나라 사람을 만나기를 내심 기대했는데, 내가 일하는 동안에는 오지 않았다. 투어는 우리가 일하는 공간, 주방, 흡연실, 에릭의 공간, 탁구장 등 곳곳을 소개하며 진행된다. 학생들이 우르르 가까이 지나가면 우리는 뭔가 더 프로같이 보이려는 자세로 모니터를 응시하기도 한다.

②

대청소

일본 공무원들이 우리 회사에 견학 오기로 했다. 그들이 오기 하루 전, 우리는 대청소를 했다. 엄청 너저분하게 책상을 쓰는 사람들도 그날만큼은 말끔히 정리를 해두고, 중요한 서류는 다 박스나 서랍에다 잘 넣어두는 것이었다. 사실 기분이 나빴다. 평소에 누가 회사로 견학을 와도 하지 않던 청소를 이렇게까지 열심히 하다니. 그런데 내 뒤에서 일하는 카피라이터가 귀띔을 해줬다. “너도 중요한 서류나 스케치한 게 있으면 잘 넣어둬. 일본 사람들은 잘 카피하잖아. 그렇지?”라고 하는 것이었다. 한국 사람들만 안다고 생각했는데, 유럽 사람들도 다 아는구나.

비발디 사계 여름 1악장

I amsterdam 조형물 주변으로 국립 미술관, 현대 미술관, 고흐 미술관과 갤러리 골목이 있다. 좁지만 매력적인 갤러리 골목을 지나 국립 미술관 통로로 가다 보면 버스킹 연주를 들을 수 있다. 그곳은 어둡고 서늘하고 울림이 좋아 연주자들이 가진 실력보다 음악이 훨씬 좋게 들리는 듯하다. 첼로 연주자가 활을 켜는 동안 바이올린과 아코디언, 콘트라베이스 4중주 팀이 한쪽에서 튜닝하며 기다린다.

오후에 나는 항상 바이올린을 켜는 남자가 혼자 연주하는 모습을 보고는 했다. 그 앞을 지날 때마다 듣고 있던 노래를 끄고, 천천히 지나간다. 언제나 어김없이 비발디 사계다. 내가 가장 좋아하는 곡이기에 음, 템포, 강약을 다 알고 있다. 특히 1분경에 흐르는 빠른 파트는 굉장히 신명 난다. 하지만, 그 연주자는 빠르기에 집중한 나머지 포지션을 정확하게 못 짚고 활을 쓰는 것이 살짝 아쉬웠다. 하지만, 그는 그 곡을 진심으로 좋아하는 것처럼 느껴졌다. 그 통로를 지날 때마다 비발디 사계를 들을 수 있어서 좋다. 봄에는 봄, 여름에는 여름, 가을에는 가을을 연주하려나?

카피

이곳에 있다 보니 따라 하고 싶은 디자인이 넘쳐난다. 주먹구구식으로 디자인하면서 가장 많이 연습했던 것이 따라 하고 싶은 디자인을 그대로 베껴보는 작업이었다. 암스테르담 현대 미술관 리플릿이 예뻐서 사진과 텍스트의 배열을 그대로 해보거나 책을 읽다가 좋은 레이아웃을 보면 그대로 연습해볼 때도 있었다. 그런데 그렇게 하다 보니 암암리에 내가 그 형식을 배우게 되고, 심지어 일할 때도 '똑같이' 하려는 버릇이 생겼다.

그 디자인을 한 디자이너가 훨씬 월등하게 작업했기 때문에 카피한 내 작업물은 그냥 조잡할 수밖에 없다. 그래서 처음부터 어떻게 다르게 접근할지, 어디에 내 색깔을 넣을지 변형을 주는 일이 꼭 필요하다는 걸 알았다.

모든 카피의 시작은 애정에서부터 시작한다. 그런데 그 애정이 과해지면 돌이킬 수 없는 때가 온다. 사람이기 때문에 '똑같이' 따라 하고 싶은 유혹을 뿌리치기는 참 어렵고, 버릇 들지 않기 위해 항상 스스로 견제해야 한다. 하늘 아래 완전히 새로운 건 없다지만, 의도적으로 완전히 '똑같이' 만들어서는 절대로 안 된다. 하지만, 카피는 참 어려운 문제다. 세상에는 따라 하고 싶은 것이 너무나 많다.

Jihee, beer?

나는 술을 잘 못 마시는데 이곳에 와서 주량이 확실히 늘었다. 허구한 날 "Jihee, beer?", 퇴근 직전에도 "Jihee, beer?", 금요일이니까 "Jihee, beer?", 환송회니까 "Jihee, beer?", 기쁜 날이라서 "Jihee, beer?", 더우니까 "Jihee, beer?" 계속 거절하기도 그래서 일단 병맥주를 받아들고 반도 못 마시고 버리기를 반복했는데, 계속 홀짝홀짝 마시다 보니 어느새 한 병을 다 마실 수 있는 주량이 됐다. 사람들이 퇴근한 뒤 회사에서 몇몇 동료와 음악 크게 틀어놓고 맥주를 마시면 여느 펍 부럽지 않다. 무엇보다 케셀스크라머 맥주는 공짜다.

②

커피

작년 여름 이탈리아에 머물면서 좋은 카페를 찾기 어려웠다. 이탈리아 사람들은 대부분 서서 에스프레소에 설탕을 털어 넣고, 10분도 안 돼서 마시고 나간다. 원두는 좋을지 몰라도 카페 문화는 사실 나와 맞지 않았다. 나는 카푸치노를 좋아하는데, 이탈리아에서 마신 카푸치노는 정말 맛이 없었다. 그 이후부터는 나도 에스프레소에 설탕 넣어 한잔 마시고, 뭔가에 쫓기듯 서둘러 나갔던 기억이 난다. 내가 잠시 머물렀던 트레비소에는 그 흔한 프랜차이즈 카페가 없었다. 밀라노에는 있긴 했지만, 안락한 분위기의 카페를 찾기 어려웠다.

네덜란드는 우리나라와 카페 문화가 비슷하다. 커피 맛뿐만 아니라 분위기 좋은 카페도 많을뿐더러 책이나 신문을 읽으며 커피를 오랫동안 즐기는 사람도 많았다. 나는 주로 시나몬, 초콜릿 파우더를 뺀 카푸치노를 마셨는데, 대체로 나쁘지 않았다. 네덜란드 카페에는 대부분 실내에 꽃이 있고, 좋은 음악이 흐르고, 갖고 싶을 정도로 예쁜 소품들과 공간이 조화를 이루고 있다. 담배나 술을 하지 않는 내게 커피를 마시는 일은 고단한 이곳 생활에서 유일한 위로였다. 그래서일까, 내 월급의 30%는 커피값이었다. 그동안 내가 갔던 암스테르담 카페에 대해 약간의 감상을 적어보려 한다.

HAY / de koffie salon

Hay는 문구나 인테리어 소품 파는 곳이고, de koffie salon은 카페다. 둘은 서로 연결되어 붙어있다. 퇴근하고 집에 가는 길에 자주 들렀던 곳. 커피 맛은 누가 만드느냐에 따라 기복이 심하지만, 대체로 괜찮다. 허기지면 시나몬 크루아상이나 와플을 먹었다. 꼬부랑 시나몬 크루아상 추천. 무엇보다 커피도 마시고 물건들을 구경할 수 있어서 마음에 들었다. 나는 주로 네모난 큰 테이블에 앉았는데, 사람들이 둘러 앉아 신문도 읽고 글도 쓰고 과제도 하는 모습이 보기 좋았다.

*Spuistraat 281

Droog

내가 가장 아끼는 카페다. 자주 가면 이 분위기가 익숙해질까 봐 일부러 자주 가지 않고, 가끔 기분 전환하고 싶을 때 가는 카페. 인테리어, 소품도 감각적이고 세련되었다. 카푸치노는 항상 맛있었다. 틀어주는 노래가 좋아서 뭔가 생각을 해야 할 때 가면 없던 생각도 정리되는 느낌이 들었던 곳. 진짜 아끼는 카페. 흘러나오는 음악 족족 다 좋아서 음악 검색하느라 정신없었다. P.S. 인생 곡 발견! Talking Heads의 《This must be the place》.

*Staalstraat 7-A

Peer

홍등가에 있는 카페치고 굉장히 건전한 디자인 책과 전시를 하는 카페다. 집에서 걸어서 10분 거리에 있는 곳이라 주말에 자주 갔던 카페. 금-월요일만 연다. 반 복층 구조라서 아늑하고 좋다. 특히 나는 2층에 크고 동그란 테이블에 주로 앉는데, 바로 옆에 창문이 있어서 좋다. 커피도 나쁘지 않다. 카페 주인이 좋아하는 뮤지션이 있냐고 묻길래 카운터 밑에 편리왕 Kings of Convenience 앨범이 있는 걸 보고 편리왕이라고 말했는데, 우연인지 모르겠지만, 내가 갈 때마다 다른 노래가 나오다 말고 편리왕 앨범 전곡이 나와서 다 듣고 온다.

*Oudezijds Achterburgwal 133

Bocca

커피에 대한 자부심이 있는 카페. 커피 맛이 항상 일정하게 맛있다. 특히 플랫화이트 더블 샷. 베를린에서 갔던 카페들과 비슷한 분위기. 세련되고 깔끔하고 확 트인 인테리어. 이 카페의 특이한 점은 커피 맛에 집중하라는 의미에서 와이파이를 제공하지 않는다.

*Kerkstraat 96HS

Back to black

항상 사람이 많은 곳이다. 그만큼 따뜻하고 아늑한 곳. 가끔 베이지색 고양이가 옆에 앉아 낮잠을 자기도 한다. 국립 미술관에서 가깝고 주로 현지인들이 자주 찾는 카페. 평일에는 일 때문에 갈 수가 없어서 주말 아침에 가서 창문 앞에 앉아 카푸치노랑 바나나빵을 먹었다. 그 시간에는 사람이 없어서 정말 평온하고 행복하다.

*Weteringstraat 48

Lot sixty one

최고. 내 커피 입맛에 가장 맞는 곳. 지금까지 마셨던 플랫화이트 중에 가장 맛있었다. 인테리어도 진짜 감각 있다. 카운터도. 모든 게 별 5개. (어반아우피터스에도 팝업(pop-up) 카페 형식으로 있는 데, 내가 주로 갔던 곳은 Kinkerstraat 112에 있는 곳이었다.)

Cloud

회사 주변에 있는 갤러리 카페. 퇴근할 때쯤이면 벌써 문 닫을 준비를 하고 있어서 자주 가지는 못 하고, 주말에 요르단 지구를 돌다가 생각나면 갔던 곳이다. 가끔 전시도 하는데 굉장히 멋있다. 커피도 마시고 슬쩍슬쩍 작품도 볼 수 있어서 좋다. 발이 땅에 닿지 않는 바 형식의 창가 자리가 가장 좋은 것 같다.

*Prinsengracht 276

Koko

홍등가에 있는, 디자이너 옷과 소품을 함께 파는 가게 겸 카페. 일하는 분들이 친절해서 좋았다. 내부도 부산스럽지 않고. 가끔 커피를 마시러 갔다가 엄청 싸게, 거의 90% 세일하는 옷을 산 적도 있다. 옷 구경도 하고 커피도 마시고.

* Oudezijds Achterburgwal 145

Coffee Company

네덜란드 프랜차이즈 카페. 정말 많다. 그중에서도 내가 좋아하는 곳은 암스테르담 경영대학교 앞에 있는 지점. 아담. 아늑.

* Plantage Muidergracht 69 71, 1018 TM

De Laatste Kruimel

관광객이 주로 다니는 골목이라 항상 꽉 차 있는 곳. 윈도에 진열된 케이크가 맛있어 보여서 그냥 지나칠 수는 없을 것 같다. 운이 좋으면 자리에 앉아서 먹을 수도 있다. 하지만, 내가 갈 때마다 운하가 보이는 테라스는 사람이 꽉 차서 한 번도 앉을 수 없었다.

* Langebrugsteeg 4

Puccini

벼룩시장에 들러 힘이 빠질 때쯤 딱 에너지를 충전할 수 있는 카페다. 암스테르담 시청 끝에서 다리를 건너면 바로 보이는 곳. 햇빛이 좋은 날에는 테라스에 앉기도 하지만, 나는 다리를 바라볼 수 있는 창가 쪽 낮은 테이블 자리에 자주 앉는다.

* Staalstraat 21

레이크스 박물관 Rijks Museum 야외 카페

국립 미술관에서 I amsterdam 조형물로 가는 길에 야외 정원이 있다. 분수도 있고, 그늘에 앉아 쉴 수 있는 의자가 많은데, 카푸치노를 마시며 쉬어가기 좋은 곳이다. 아이들이 분수랑 노는 모습을 보는 것도 즐겁다.

현대 미술관 기념품 가게

주말에 딱히 할 일 없을 때 현대 미술관에 갔다. 작품을 보러 갔다기보다는 주로 기념품 가게에 들러 새로 나온 책과 소품을 보며 시간을 보냈다. 암스테르담에서 내가 가장 좋아하는 곳.

음반 가게 Concerto

엄청 큰 규모의 음반 가게다. 바이닐을 수집하는 사람들에게 보물 창고일 듯. 운이 좋으면 좋은 바이닐을 저렴하게 구할 수 있다. 그리고 가게 내부 카페에서 작은 공연도 열린다.

종이 가게 Vlieger

암스테르담에 있으면서 정말 자주 갔던 곳. 업무 외에도 출력하고 싶은 것이 생길 때마다 가서 특정한 종이를 샀다. 웬만한 종류의 종이는 거의 다 있다고 보면 된다. 초콜릿 패키지를 출력해야 해서 혹시나 하는 마음에 물어봤더니 초콜릿을 싸는 특유의 은박지까지 있었다.

터키 피자 가게 Hasmercan Patisserie

매주 금요일마다 동료들과 점심으로 터키 피자를 먹으러 갔다. 처음엔 생각 없이 갔던 곳인데 너무 맛있어서 주말에도 자주 갔던 곳. 시금치 피자랑 일반 피자가 있는데, 시금치 피자가 정말 맛있었다. 후식으로 터키쉬 딜라이트를 먹어주면 끝. 가격도 3.50유로로 음료수와 함께 먹으면 5유로다. 저렴하고 맛있어서 거의 매일 가서 먹다시피 했다. 한국에 오기 전날에도 일부러 먹고 왔다. 진짜 한국에 데려오고 싶은 맛이다.

②

잡지 가게 Athenaeum Nieuwscentrum

책도 팔지만, 80%가 잡지로 가득 차 있는 곳. 웬만한 잡지는 다 있어서 특이한 잡지를 사려면 항상 이곳에 갔다. 바깥 한켠에 상자 속에 있는 책과 잡지는 파격적으로 세일한다. 가끔 좋은 잡지를 찾을 수 있다. 얼마 전에 프랑스 잡지 Shelf를 이곳에서 알게 되었다. 어쩌면 내 인생 잡지일 수도.

왠지 불안해지는 지점에서 80m를 더 가서 오른쪽으로 가시오

영화 〈안경〉중에서

수많은 운하로 겹겹이 쌓인 암스테르담을 여행한다면 가장 먼저 구매하는 물건은 지도가 아닐까. 하지만 확실하지 않은 채로 암스테르담 골목을 걷다 보면 생각보다 재미있는 것들을 접할 기회가 많다. 이 골목에 꽃 작업실이 있구나, 여긴 샹들리에만 파는 가게네, 이 집에는 개가 항상 일광욕을 하고 있네. 골목마다 이야기가 하나하나 살아있다.

그렇게 작은 특징들을 기억하다 보면 어떤 곳을 도로명보다 육감으로 찾을 수 있게 된다. 가끔은 시행착오를 겪을 때도 있다. 매번 가던 길도 아무 생각 없이 들어섰다가 내가 기억하는 그 자리에 그 가게가 없으면, 아차차, 한 블록 더 가서 들어갔어야 했는데, 하고 되돌아 나올 때도 있으니까. 그래도 괜찮다. 조금 더 걸으면 되니까. 지도를 보고 길을 찾으면 도로명 알파벳밖에 보이지 않는다. 하지만 '왠지 불안해지는 지점에서 치즈 가게를 발견하고 80m를 더 가서 오른쪽으로 가'는 방법으로 길을 찾으면 주변 풍경을 보게 된다. 나는 그렇게 길을 알아간다.

공사 중

가끔 우리나라는 재건축 선진국 같다는 느낌이 든다. 낡은 것은 싹 갈아엎고, 그 위에 새로운 건물을 몇 달도 안 되어 지어내니 말이다. 그래서 한국에서는 오래된 것의 가치를 찾아보기 힘들다. 네덜란드에서 내가 놀랐던 것은 그들이 현재 사는 집의 역사였다. 길을 걷다 보면 건물이 지어진 연도를 쉽게 볼 수 있는데, 어떤 건물은 몇백 년 동안 그 자리에 버티고 서 있다. 심지어 거기 여전히 사람이 산다. 건물과 건물이 삐뚤빼뚤 서로 의지하며 조화를 이루는 모습이 자연스럽고 아름답다.

하지만 오래된 건물에서 살려면 몸을 보다 많이 움직여야 한다. 모든 것이 수동이니까. 열쇠를 찾아 문을 따고 들어가는가 하면 창문이 오래돼서 새어드는 바람에 잠을 설치기도 하고, 비바람이 심한 날에는 빗방울이 창문을 때리는 소리를 적나라하게 들을 수 있다. 걸을 때마다 삐걱거리는 마루, 가끔 쥐들이 배관을 타고 다니는 소리를 들을 때도 있다.

대부분 엘리베이터가 없기에 좁고 높은 달팽이 모양 계단을 빙글빙글 올라가야 한다. 쓰레기를 버리려면 무거운 쓰레기 봉지를 들고 내려갔다 올라와야 한다. 불편함이 이만저만 아닌데 이상하게도 이곳 사람들은 오래된 건물을 부수지 않는다. 그 대신 무척 자주 보수공사를 한다. 그래서 암스테르담은 항상 공사 중이다. 아마 지금도 몇십 아니 몇백 군데에서 크고 작게 공사를 하고 있을 것이다.

④

특징 놀이

이곳에 있다 보면 신기한 것이 너무 많다. 아마 네덜란드 사람들에게는 익숙한 풍경과 상황이 내게는 너무 웃기고 심각한 것이 많았으니까. 그래서 나는 특징을 잡아 계속 그것만 찍는 놀이를 했다. 예를 들면, 공사장 가림막만 찍는 놀이. 암스테르담은 항상 공사 중이다. 처음에는 신기해서 참고용으로 딱 한 장만 찍었는데, 다채로운 가림막이 자꾸 눈에 밟혀서 아무 생각 없이 볼 때마다 찍었다. 그리고 나열해서 보니 일종의 규칙을 발견할 수 있었다. 색깔별, 모양별, 상황별로 모아 가림막 소책자를 만들었다. 알록달록한 게 꽤 재미있다.

④

첫 번째 피드백

아이디어를 내서 피드백을 받기 전날 밤, 나는 엄마나 언니에게 자주 전화를 건다. '대충 이 프로젝트는 이런 느낌으로 진행될 것이고, 그래서 내가 생각한 콘셉트와 아이디어는 이거야. 어때?'라고 물어보는데, 생각보다 이 방법이 좋은 것 같다. 다른 사람들이 내 아이디어를 바로 이해하는지, 좋아하는지 한번 간을 볼 기회이기 때문이다. 그래서 나는 자주 이 방법을 썼는데, 엄마가 내 아이디어를 듣자마자 "오, 좋은데?"라고 하면 그다음 날 어김없이 사람들의 반응이 좋다. 반대로 언니나 아빠가 "음, 잘 모르겠는데?"라고 하면 그 아이디어는 반응이 미지근하다.

그래서 언니는 허구한 날 내게 "저번에 내가 피드백 준 거 잘됐으니까, 아이디어 지분 몇 퍼센트 줘야 하는 거 아니냐?" 따질 때도 있고, "디자인은 네가 할 게 아니라 내가 해야 할 것 같은데?"라며 놀리기도 한다. 아직 실행되지 않은 프로젝트 아이디어를 아무에게나 말하면 안 되지만, 뭔가 사람들의 반응이 궁금할 때 가족에게 의견을 물어보면 좋다. 가족은 내 아이디어를 누군가에게 말할 이유도 없고, 무조건 내 편이니까. 솔직하게 비판도 하고, 칭찬도 하니까. P.S. 가끔은 회사 사람들보다 언니한테 피드백 받을 때 더 겁난다.

돌고래

우리 회사의 운송 수단은 자전거, 작고 파란 봉고차 그리고 흰색 돌고래 페달 보트가 있다. 특히 돌고래 페달 보트는 우리 회사의 명물인데, 가끔 화창한 오후에 돌고래에 맥주를 싣고 유유자적 운하 한 바퀴 돌고 오는 용도로 썼다. 내가 암스테르담에 오기 전 돌고래가 없어져 회사에서 돌고래를 찾는다는 광고를 내보내기도 했단다. 다행히 암스테르담 북쪽에서 돌고래를 봤다는 제보를 입수하고 가까스로 찾아오긴 했지만, 언제 다시 사라질지 몰라 돌고래가 잘 있는지 자주 확인한다.

②

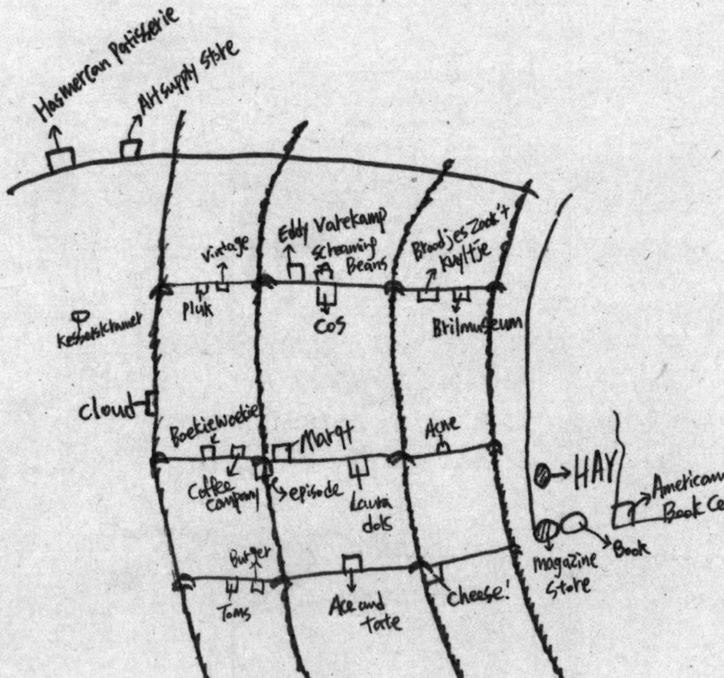
Hasmercan Patisserie
Art supply store
Vintage
Eddy Varekamp
Screaming Beans
Broodjes Zaak 't Kuyltje
Pluk
Cos
Brilmuseum
Kesselskramer
Cloud
Boekie Woekie
Margt
Acne
HAY
American Book Center.
Coffee company
episode
Laura dols
Book
magazine store
Burger
Toms
Ace and tate
Cheese!

요르단 지구

매일 출퇴근하면서 요르단 지구를 거친다. 요르단 지구에는 3개의 메인 골목이 있는데, 내 마음대로 이름을 붙여주었다. 아침, 점심, 저녁 거리다. 출근할 때는 아침 골목을, 퇴근 때는 점심 혹은 저녁 골목을 주로 걷는다. 아침 거리에는 무척 오래된 안경 가게가 있는데, 내가 가장 사고 싶은 선글라스가 팔렸나 안 팔렸나 매일 확인한다. 좀 더 가면 맛있는 햄 냄새가 진동하고, 첫 번째 운하 다리를 건너기 전에 재료를 직접 갈아주는 건강 주스 가게가 있다. 거리는 항상 쓰레기 봉지로 가득 차 있고, 쓰레기 차가 좁은 골목을 돌며 그것을 수거한다. 정면에 하늘색 건물이 보이면 좌회전을 한다. 좌회전할 때는 주변을 잘 살피며 건너야 한다. 자전거와 차가 좁은 골목에서 세게 달리기 때문에 항상 좌우를 서너 번 살피고 건너야 안전하다.

P.S. 요르단 지구 가운데 골목에 있는 Boekie Woekie. 에릭이 내게만 알려준 곳인데, 내가 가장 좋아하는 책방이다.

아프지 말자

타지에서 아프면 더 서럽다는데, 나는 다행히 크게 아팠던 적이 없었다. 한국과는 다르게 이곳은 내과, 정형외과, 안과, 이비인후과 같은 개인 병원이 흔하지도 않고, 저렴하지도 않을뿐더러 절차가 복잡하기 때문에 한번 아프기라도 하면 정말 큰 일이다. 그래서 한여름에도 사람들은 만성 기침, 감기를 달고 살고, 심지어 내가 암스테르담에서 자전거를 타지 않았던 이유 중 하나가 초보자가 어설프게 타다가 크게 다칠 위험 때문이었다.

하루는 차 트렁크 문을 닫다가 왼손을 세게 찧었다. 10분 정도 지나니 손가락 세 개가 파랗게 물들어 크게 부어올랐다. 순간 병원을 가야 하나 고민했지만, 사실 내 손가락이 아픈 것보다도 병원비가 더 걱정이었다. 급한 마음에 약국에서 연고를 사서 일주일쯤 꾸준히 바르니 말끔하게 나았다. 약효가 좋아서 한국에 있는 친구, 가족들에게 주려고 연고를 몇 개 더 샀다.

중요한 사안은 전체 메일로

케셀스크라머에서 일하는 사람은 모두 회사 전용 이메일 주소를 갖고 있다. 전체 메일 기능도 있어서 주로 생일 파티 초대장, 쓰던 물건 사고판다는 광고, 집수리하는데 조언을 구한다는 글, 회사 차를 썼으면 기름을 채워 반납하라는 공지까지 정말 신변잡기 소식을 의도치 않게 모두 공유하게 된다. 무엇보다도 누가 웃긴 '움짤(움직이는 이미지)'을 찾아서 적재적소에 사용하는지 은근히 경쟁하기도 한다. 제작팀 인턴인 사나는 움짤 전문가다. 가끔 뜬금없이 이상한 링크나 움짤을 메일로 보내는데, 그 링크를 타고 가면 웃긴 영상이나 사진들을 보게 된다. 사나 때문에 일하다 말고 빵 터지는 경우가 무척 많다. 유머에 젬병인 나에게 사나는 유머 스승님이기도 하다.

현대 미술관

나는 새로운 도시를 여행할 때마다 빼먹지 않고 가는 곳이 있다. 바로 그 도시의 현대 미술관이다. 일종의 의식처럼 항상 가는 이유는 그 도시의 성향을 쉽게 볼 수 있기 때문이다. 그중에서 가장 기억에 남는 베를린 현대 미술관은 서늘한 과학실에 있는 듯한 느낌이었다. 중고등학생 때 과학 이동 수업 날 갔던 4층 구석 과학실. 암막 커튼을 걷으면 너무나 밝은 빛이 들어와서 눈부신, 박제된 곤충들이 한 치의 오차도 없이 일렬로 바늘에 박혀있는 유리 액자와 과학 선생님만 들어갈 수 있는 통제된 약품실의 샬레와 스포이트, 약품통처럼 항상 깨끗해서 간담이 서늘한. 내게는 베를린 현대 미술관이 꼭 그랬다. 사실 도시 전체가 그랬다. 날은 우중충하고, 푸른색과 은색의 날카롭고 현대적인 건물들이 하늘을 찌르는 느낌. 서늘하고 딱딱해서 도시가 쇠처럼 차가운 느낌이었다.

암스테르담 현대 미술관은 지금까지 다녀본 곳 중에서 가장 마음에 들었다. 브랜드 디자인부터 안내판, 브로슈어, 리플릿, 포스터, 직원 명찰 목걸이까지 아주 작은 것에서부터 감각이 넘쳐흐른다(아이덴티티를 디자인 한 사람은 Armand&Mevis 라고 한다). 다른 나라보다 하드코어한 작품이 많고, 이해할 수 없을 정도로 실험적인 작품도 간혹 볼 수 있다. 특히 내가 좋아하는 곳은 바로 암스테르담 현대 미술관 기념품 가게다. 티켓을 사지 않아도 무료로 입장이 가능하기 때문에 주말에 할 일 없을 때 가서 새로 나온 디자인 책, 사진 책을 보는 것이 즐거운 일과였다.

보물 찾기

내 주말의 시작은 항상 벼룩시장이었다. 주말 오후에 약속이 있어도 아침 일찍 벼룩시장을 쓱 돌고 나야 마음이 편해지는 지경에 이를 만큼, 나는 벼룩시장 중독자였던 것 같다.

내가 그토록 벼룩시장을 좋아했던 이유는 너무 오래돼서 지금은 구할 수 없는 화석 같은 물건을 싼값에 살 수도 있고, 운이 좋으면 정말 특이한 물건을 살 수도 있다는 점이다. 그래서 나는 재료를 구할 때 벼룩시장에 갔다. 옛날 책자나 카드를 보고 레이아웃을 참고하기도 하고, 프로젝트에 필요한 재료들을 저렴하게 구매하기도 했다. 어떻게 보면 내게 플리마켓은 제 2의 학교 같은 곳이었다. 참고하고 쓸만한 재료들이 지천에 널려있어서 온종일 어슬렁거리며 손으로 만져보고 눈으로 담느라 정신이 없었다. 플리마켓에 들어서는 그 순간의 설렘이 아직도 너무 좋다. 한국에서는 볼 수 없는 물건, 오늘은 또 어떤 것이 있으려나. 상인들은 어떤 물건을 진열했으려나. 상자를 뒤적거리기도 하고, 혹시나 하는 마음에 닫힌 뚜껑을 열어보기도 한다. 그러다 보면 예상하지도 못한 내용물이 들어 있기도 하고, 정말 마음에 드는 물건을 발견할 때도 있는데, 그 기분은 굉장히 짜릿하다.

아이 할런 벼룩시장 IJ Hallen Flea market

매달 주말에 열리는 유럽 내에서 가장 큰 벼룩시장. 장이 서는 날은 내가 가장 기다리는 날이기도 하다. 암스테르담 중앙역까지 걸어가 아이 할런으로 가는 페리를 탄다. 페리는 공짜다. 한 10분쯤 가면 북쪽에 내려준다. 이곳 플리마켓은 전문 상인이 아닌, 자기가 쓰던 물건을 가져와 파는 사람이 대부분이다. 그래서 깨끗한 물건을 저렴하게 살 수 있다. 미대생들이 미술 재료나 도구를 헐값에 팔기도 하고, 작아서 입을 수 없게 된 옷을 팔기도 하고, 접시, 털실, 장난감, 책, 전화기 등 없는 게 없다. 겨울에는 실내에, 날이 따뜻해지면 야외에 장이 서는데, 야외가 훨씬 좋았다. 주로 매달 마지막 주말에 열리지만, 달마다 조금씩 다르니까 인터넷에서 확인하고 가는 편이 가장 정확하다. 참고로 입장료는 5유로.

워털루플레인 Waterlooplein

아이 할렌보다 규모는 작지만, 우리 집에서 가깝고, 구석구석 예쁜 물건이 많아서 참 자주 갔다. 워털루플레인은 일요일만 빼고, 아침 10시부터 5시까지 열린다.

P.S. 암스테르담 사람들은 '누가 쓰던 물건'에 대해서 별 고정관념이 없는 듯하다.

①

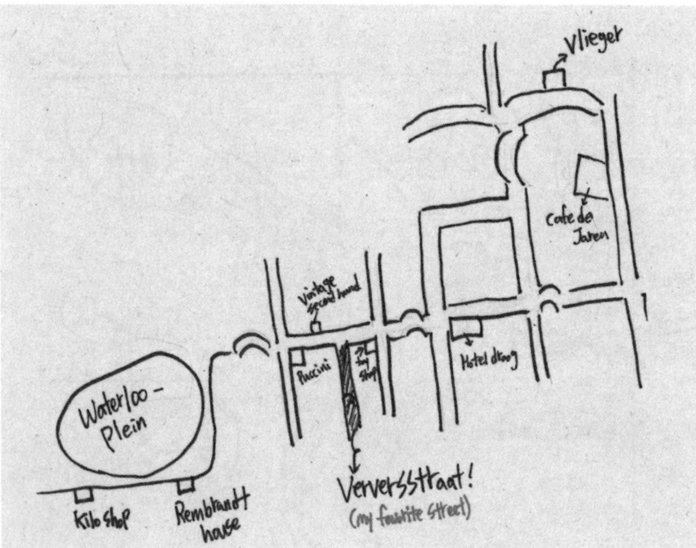

벼룩시장 십계명

1 아침 일찍 갈 것

2 에코백을 들고 갈 것

3 상자 뚜껑을 열어볼 것

4 동전을 많이 준비할 것

5 적당한 흥정을 할 것

(빈정 상하면 아예 물건을 팔지 않으니 무리한 흥정은 금물)

6 판매대 밑 박스들도 한번쯤 훑어볼 것

7 물건이 정리되지 않고 쌓여있는 곳은 상대적으로 저렴

8 관광객처럼 보이지 말 것

(카메라를 들고 있거나 신기한 표정을 지으면 1유로짜리 물건을 5유로에 살 수 있다)

9 가격이 생각보다 비싸면 미련 없이 놓고 떠나는 척할 것

(그러면 가끔 저렴한 가격을 제시할 때가 있음. 그러나 안 그런 경우도 있으니 당황 금물)

10 가능한 만지지 않고, 눈으로 봤다가 고를 것

(물건이 대체로 더러워서 나중에는 손을 씻고 싶은 충동이 생긴다)

①

풍차 요가

유네스코 기념품을 만들면서 가장 힘들고 기억에 남는 것은 '풍차 요가'다. '팔다리에 풍차 날개를 붙여 요가를 해보자'라는 아이디어에서 시작했는데, 처음에서 발전이 없자, 내가 요가 비디오를 만들기로 했다. 90년대 미국 요가 비디오, 독일 바우하우스 춤, 현대무용 등 정말 수많은 영상을 찾아봤다. 콘셉트를 잡았다가 지우기를 반복하고, 팔다리에 고정할 풍차 날개 소재를 7번이나 바꿔가며 가장 좋은 방안을 찾으려고 부단히 노력했다. 계속 생각하다 보니 아무 생각이 안 날 때쯤, 지나가던 사나가 "크로마키 기법을 써보는 건 어때? 훨씬 병맛 같고 좋을 것 같은데." 했고, 내 생각에도 그래서 난생처음 크로마키 기법으로 편집해보는 진풍경이 벌어졌다. 영상은 훨씬 '병맛' 같았고, 반응도 나쁘지 않았다. 무엇보다 팔다리에 풍차 날개를 붙이고 요가를 하는 진지한 내 표정이 한몫했다.

영상을 제작하는 일은 지금까지 해왔던 로고, 패키지, 사진집 편집보다 훨씬 어려웠다. 시간을 초마다 계산해서 그 부분에 흐를 음악과 화면의 움직임 그리고 전체적인 흐름을 생각하며 만들어야 한다. 영상을 업으로 하는 사람들에게 남다른 존경심이 일었다. 리스펙.

①

개인 작업

업무 시간에 개인 작업을 하는 동료들이 있다. 맥스는 〈오디너리 ORDINARY〉라는 잡지를 만들기도 하고, 가끔 뮤직비디오도 디렉팅한다. 특히 〈오디너리〉 잡지는 매 호 우리 주변에 있는 물건(수세미, 흰 양말, 검은 봉지, 면봉 등)을 주제로 사진을 모아 만든 것인데, 단순하면서도 재미있다. 타이스는 최근에 사진집을 만들었는데, 생각이나 시선이 마음에 든다.

회사에서 업무 이외의 개인 작업하면서 시간을 보내도 누구 하나 뭐라고 하는 사람이 없다. 나도 할 일이 없을 때는 내 작업을 했는데, 타이스가 관심을 보이며 도움이 될 만한 아이디어나 작가들을 알려주었다. 그러면서 자기가 현재 하고 있는 개인 프로젝트를 보여주었다. 그렇게 의견을 주고받다 보니 회사 동료라기보다 서로의 멘토 같은 느낌이 들었다. '지금 네가 하는 작업이 어느 작가와 비슷하니 그 작가 작업을 보면 진짜 좋을 것 같다'면서 알려주기도 하고, 내 주제에 도움이 될 만한 책을 선뜻 주기도 했다. 이곳에서 일하는 동안, 내 주변에 이런 사람들이 있어서 너무 행복했다. 남의 능력을 시기하거나 견제하기보다는 생각을 격려하고, 선뜻 의견을 주며 돕는 태도가 고마웠다. 앞으로도 이런 사람들이 주변에 많으려면, 나 또한 내 일을 잘 하고, 마음이 아름다워야겠지?

가을. 2016

모래성

매일매일 모래성을 쌓는 기분이다. 누군가 집게손가락으로 내 팔뚝을 툭-, 찌르면 반사적으로 눈에서 눈물이 찔끔하고 나올 것만 같다. 누군가 해결책을 말해주면 좋겠지만, 스스로 풀 수밖에 없다.

재작년에 언니와 이런 말을 했었다. "진짜, 내 인생에서 단 한 번만이라도 외국에 나가서 공부하거나 일하고 싶어." 그 바람을 하늘이 들었는지, 소원이 이뤄졌다. 웬만한 친구들 다 가는 교환학생이라든가 미국 인턴십조차도 누리지 못했던 나는, '그곳'에 가보고 싶었다. 어쩌면 그냥 외국 생활에 대한 동경이 컸을 수도 있다. 굉장히 세련되어져 돌아올 것 같고, 나 또한 꽤 감각 있는 사람이 될 것 같다는 같잖은 생각을 했었다(가끔은 힙한 카페나 식당에서 선글라스 끼고 인증샷도 찍고 싶었고). 신기하게도 그 꿈은 작년 이탈리아에 가면서 이뤄졌고, 암스테르담으로 날아오면서부터 해외 생활을 집중적으로 치르고 있는 것 같다. 한 가지 다른 점은 교환학생이나 학교에서 권하는 미국 인턴십은 업체(유학원?)에서 모든 준비를 다 해주지만, 나는 스스로 모든 것을 준비해야 했다. 비자, 집, 보험, 비행기, 은행 계좌 등등.

이곳에 오고 처음 한두 달은 정말 정신이 없었다. 당장 살 집이 없어서 한인 민박에서, 도미토리에서 몇 주를 묵어야 했고, 집을 옮겨 다니면서 잠을 자야 했으니 말이다. 회사도 편해지기까지 시간이 걸렸고, 약간 적응했다고 생각했는데,

다시 제자리다(매일매일 모래성을 쌓는 기분이다). 아침마다 눈을 떠 회사 가는 일이 설레고 즐거울 것 같다고 생각했는데, 첫날과는 달리 어느덧 이 생활이 무료해지기 시작했다. 평일에는 7시 40분에 일어나 머리를 감고, 8시 30분에 집을 나서서 5시 30분이 되면 회사를 나온다. 퇴근하면 집에 바로 들어가고 싶지 않다. 나는 집으로 가는 지름길 대신 빙 돌아 정처 없이 거리를 걷거나 카페에서 카푸치노 한 잔이라도 마신다거나 혹은 담락 거리에 있는 수많은 가게를 기웃거리다가 어두워질 때쯤 집에 돌아가곤 한다. 주말이 되면 워털루 플레인 플리마켓에서 누가 버린 앨범이나 그릇, 목걸이들을 1-2유로 푼돈을 주고 하나둘씩 사서 집에 돌아온다. 이제는 그렇게 사 모은 조악한 물건들로 공허한 마음을 채우는 일이 하나의 의식처럼 되어버린 것 같다. 암스테르담에서 혼자 사는 일은 25년, 내 평생을 살면서 느껴본 가장 하드코어한 생활. 나이를 먹으면 먹을수록 사는 것이 강도 높은 경험들뿐이라면 미안하지만, 진심으로 사양하고 싶다. 마치 롤러코스터를 타는 것처럼 하루하루가 곤두박질쳤다가 다시 올라가는 감정의 연속이다.

내 공간

내 공간에는 물건(남들이 봤을 때 쓸데없는)들로 항상 넘쳐났다. 전시장에서 받아온 리플릿과 책자, 포스터 뭉치, 책과 잡지, 장난감, 사람 피겨, 이상한 것. 그런 물건들이 내 방을 채우고 있을 때 신기하게도 온기가 느껴지는 듯하다.

암스테르담에 최소한의 짐을 들고 왔다. 매일 입는 옷, 매일 쓰는 물건만 추리고 또 추려서. 짐을 푸니 방이 썰렁했다. 그래서 벼룩시장, 서점, 미술관, 장난감 가게에서 산 물건과 책으로 방안을 조금씩 채워 나갔다. 등이 판판한 겨자색 사자상, 장난감 변기, 오래된 향수병, 주먹만 한 돌부처, 오래된 지도와 책, 사진집 등등. 한국에 돌아갈 때쯤 되니 물건들이 산더미같이 불어나 있었다.

창문

밀라노에 있을 때 신기한 광경을 봤다. 한낮에도 철창문(따빠렐라)을 다 닫고 있는 것을 보고, 그곳에 사는 사람에게 물어봤다. 햇빛이 세기 때문에 한낮에도 따빠렐라를 걸어 잠그고 지낸다는 것이었다. 따빠렐라 없이 생활하기 어렵다는 사람도 있다고 했다. 마치 상가 셔터처럼 생긴 것을 가정집 창문에 달아놓은 것인데, 이것이 굉장히 보편적이라는 사실을 알고 꽤 놀랐다. 따빠렐라를 쳐두면 커텐을 친 것과는 다르게 굉장히 답답하기 때문이다. 한낮에도 미세한 빛까지 차단되어 마치 암흑에 든 것처럼 실내가 컴컴하다. 외국인인 나로써는 좀처럼 이해하기 어려운 문화였다. 한낮에도 따빠렐라를 걷어둔 집을 보지 못했다. 늘 모두 닫혀 있었다. 어쩌면 그래서 나도 밀라노에게 마음을 열 수 없었던 것은 아니었나 싶다.

암스테르담은 개방적이다. 안이 훤히 보이는 암스테르담의 집들. 굳이 커튼을 치지 않는다. 서재에서 책을 읽거나 거실에서 TV를 보거나 주방에서 음식을 하는 모습이 다 보인다. 오히려 그들의 집을 보고 있는 내가 무안하게 암스테르담 사람들은 굳이 사생활을 감추려 하지도, 부끄러워하지도, 경계하지도 않는다. 오히려 잘 꾸며놓은 공간을 지나가는 이에게 뽐내는 듯하다. 그리고 창문에 그 집만의 개성을 자랑하는 작은 갤러리가 있다. 어떤 집은 매주 화요일마다 꽃을 바꾸는 집이 있고, 미니어처만 쪼르르 세워두는 집이 있고, 지나갈 때마다 개가 창문에 누워 일광욕하는 집도 있다. 감각 있게 꾸며놓은 창문을 보고 그 집에 사는 사람이 궁금해진다. 어린 딸(혹은 아들)이 그린 그림을 액자에 넣어 창문 앞에 세워두기도 한다.

비싼 옷

이곳에 있으면서 가장 편했던 점은 내 편한 대로 옷을 입어도 되는 것이었다. 내가 어떤 브랜드 옷을 입건 어떤 신발과 가방을 걸치건 상관없었다. 5년 전쯤 갭에서 30% 세일하는 남색 반소매 티셔츠를 샀다. 천도 좋고 색깔 매치하기 편해서 매일 같이 입고 다니다 보니 구멍이 3개 정도 났다. 나는 그 옷을 입고 수업을 들으러 갔는데 한 친구 녀석이 구멍 났다며 옷 좀 사 입으라고 했다. 얼굴이 화끈거렸다. 나는 그 옷이 너무 좋아서 구멍이 나도 매일 입고 다닌 것인데, 누군가는 그것을 후줄근하게 본다는 게 창피했다. 그 이후부터 그 티셔츠는 외출복에서 잠옷으로 쓰임이 변했다가 암스테르담에 온 뒤 다시 외출복으로 바뀌었다. 이곳에서는 구멍 난 티셔츠를 입건 색이 바랠 대로 바랜 코듀로이 바바리를 입건 밑창이 다 떨어진 구두를 신건 아무도 간섭하지 않는다. 한 사람의 개성을 존중해줄 뿐이다. 색깔 매치를 잘했으면 "오늘 색깔 매치 좋다.", 그 사람에게 잘 어울리는 바바리를 입었으면 "멋지네!"하고 말한다. 똑같은 후드 티를 3일 연속 입건 겨드랑이가 다 찢어진 남방을 입건 무슨 상관이랴. 자기가 좋으면 그만인 것을.

나도 암스테르담에 오기 전에는 비싼 브랜드 신발, 지갑, 옷을 입고 다녀야 한다고 생각했다. 좋은 지갑을 들고 다녀야 돈이 들어온다, 좋은 옷을 입고 다녀야 사람들이 나에 대해 좋게 평가한다, 그런 이야기를 자주 들었다. 한국에서는 모두 좋은 지갑을 들고 다녀서 내가 계산할 때 자신 있게 지갑을 꺼낼 수 없었다면, 이곳에서는 이름 없는, 다 낡아 모서리가 찢어진 지갑을 들고 다녀도 뭐라 하는 사람이 없다. 이곳 사람들은 대부분 수십만 원짜리 아웃도어 브랜드 패딩을 사 입기보다는 본인에게 잘 어울리는 코트나 패딩을 사 입는다.

가격이나 브랜드는 아무 상관 없다. '좋은 옷'은 자신에게 맞는 옷, 잘 어울리는 옷이다. 내게 편하고, 잘 어울리는 옷은 아무리 저렴하거나 낡았어도 최고다.

매너

이곳에서는 문을 잡아주거나, 순서를 양보하거나, 안내하거나, 거스름돈을 주거나, 자리를 내줄 때 서로 '눈을 마주치며' 고맙다고 말한다. 처음에는 사람들이 눈을 계속 마주치려고 하길래 나한테 관심 있나 오해한 적도 있지만, 눈을 마주치는 것은 상대방과의 교감이고 예의다. 한국에서 뒤에 오는 사람을 위해 문을 잡아줄 때를 생각해보면, 그 호의를 너무 당연하게 받아들인다거나 잡아준 문틈 사이로 주머니에 손도 안 빼고 휙 지나가는 사람이 참 많아서 그 문을 당장 놓고 싶은 적이 한두 번이 아니었다. 내가 시간 내어 배려하는 것이 멍청한 일이라고 생각 들 때가 간혹 있었다. 부딪쳐도 아무런 사과 없이 가는 사람, 엘리베이터 문을 안 잡아주고 재빨리 닫기 버튼을 누르는 사람, 발을 밟고도 모른 척하는 사람. 별별 사람이 다 있다. '고맙다. 미안하다'라는 말은 상식이다. 그리 어려운 일도 아닌데.

마무리

이곳에서의 생활도 슬슬 마무리를 지어야 할 때가 온 것 같다. 처음 이곳에 도착했을 때는 당장이라도 한국에 가고 싶었는데, 시간이 지나면서 가기 싫어졌다. 이렇게 아름다운 도시를 등지고 떠나야 한다니! 일도 마무리 지었고, 이제 돌아갈 일만 남았구나.

빨면 되지!

아무 데서나 철퍼덕 앉지 마라, 바지가 더러워지니 앉을 땐 종이나 손수건을 깔고 앉아라, 손으로 음식 집어 먹지 마라, 흘리지 말고 먹어라, 먹다가 손에 묻으면 옷에 닦지 말고 휴지에 닦아라. 엄마는 내가 어렸을 때부터 항상 청결에 관한 습관을 심어주셨다. 그런데, 이곳에 와보니 사람들은 아무 데서나 철퍼덕 앉고, 풀밭에 눕고, 손으로 음식을 집어 먹고, 옷에 대충 슥슥 닦는다. 바지가 더러워지면 어떡해, 티셔츠에 닦았다가 안 지워지면 어떡해, 라고 말했는데, 그들의 대답은 굉장히 간단했다. "빨면 되지!" 그렇지, 빨면 되지. 그렇게 간단한 것을 나는 항상 모든 일에 조심스러웠던 것 같다.
옷은 빨면 다시 깨끗해지는데 말이다.

떠날 준비

오늘 시청에서 주소 등록을 해지하고 오는 길이다. 은행 계좌와 의료 보험도. 등록하는 건 시간도 오래 걸리고, 진짜 까다롭더니 해지는 이렇게나 간단하다.

성매매, 마약, 동성애, 안락사가 합법인 이곳은 내게 가장 안전하고 살기 좋은 곳이었다. 네덜란드는 모든 게 확실한 나라이기 때문에 철저히 확인하고 합법적인 선에서 규제를 한다. 내가 암스테르담에 처음 왔을 때, 이미 이민국에서 통보를 받았는지 공항 심사에서부터 거주허가증 카드가 나왔으니 며칠 내로 이민국에 가서 임시거주허가증 카드를 가져가라고 말할 정도로, 서류상으로 내 정보가 잘 등록되어 있었다. 가끔 일 처리가 느리거나 두세 번 확인해야 하는 경우도 있지만, 모든 절차만 잘 지킨다면 문제 될 것이 전혀 없다. 합법적인 선에서 규제가 확실하기 때문에 모두가 자유 혹은 개인의 권리를 누릴 수 있다.

오히려 작년에 한 달 정도 머문 이탈리아 밀라노가 더 무서웠다. 암스테르담에는 소매치기라든가 잡상인, 설문 조사를 빌미로 나를 귀찮게 하는 사람이 현저히 적었다. 그래서 에코백을 어깨에 걸고 골목 이곳저곳을 기웃거려도, 수상한 사람이 말을 걸거나 소매치기당한 적이 없었다. 가끔 눈 풀린 사람이 실실 웃으며 내게 '니하오'를 외쳤지만, 몇몇뿐이었다. 대부분은 굉장히 이성적이고 호의적이다.

그 후

한국에 돌아오고 나서 한동안 할 일이 없었다. 암스테르담에 가기 전까지만 해도 한국에 돌아오면 가고 싶은 회사가 엄청 많았는데, 막상 한국에 오고 나니 회사를 지원하는 일도 막막해졌다.
이제야 나는 내가 뭘 잘하고 뭘 좋아하는지 알았는데, 한국에는 내 성향을 받아 줄 곳이 잔인하게도 단 한 곳도 없다는 사실을 깨닫고 무서웠다. 케셀스크라머 같은 회사가 한국에는 없으니 내가 변하든지 세상이 변해야 하는데, 세상을 변화시키기에 나는 너무나 미약한 존재라는 사실을 깨닫고, 며칠을 밖에 나가지 않은 채 히키코모리처럼 노트북 앞에 앉아 글만 썼다. 암스테르담에 대한 그리움, 그곳에서 만났던 사람들과의 추억, 다시는 오지 않을 경험을 상기하며 써 내려가니 가끔은 눈물이 나기도 하고, 웃음이 나기도 하면서 암담했던 내 현실이 조금씩 밝아지는 듯한 느낌이 들었다. 한 치 앞도 보이지 않는 안갯속을 걷는 기분이었는데, 시간이 지나고 해가 뜨면서 점점 안개가 걷히고 길이 보이기 시작한다.

A'dam Streets

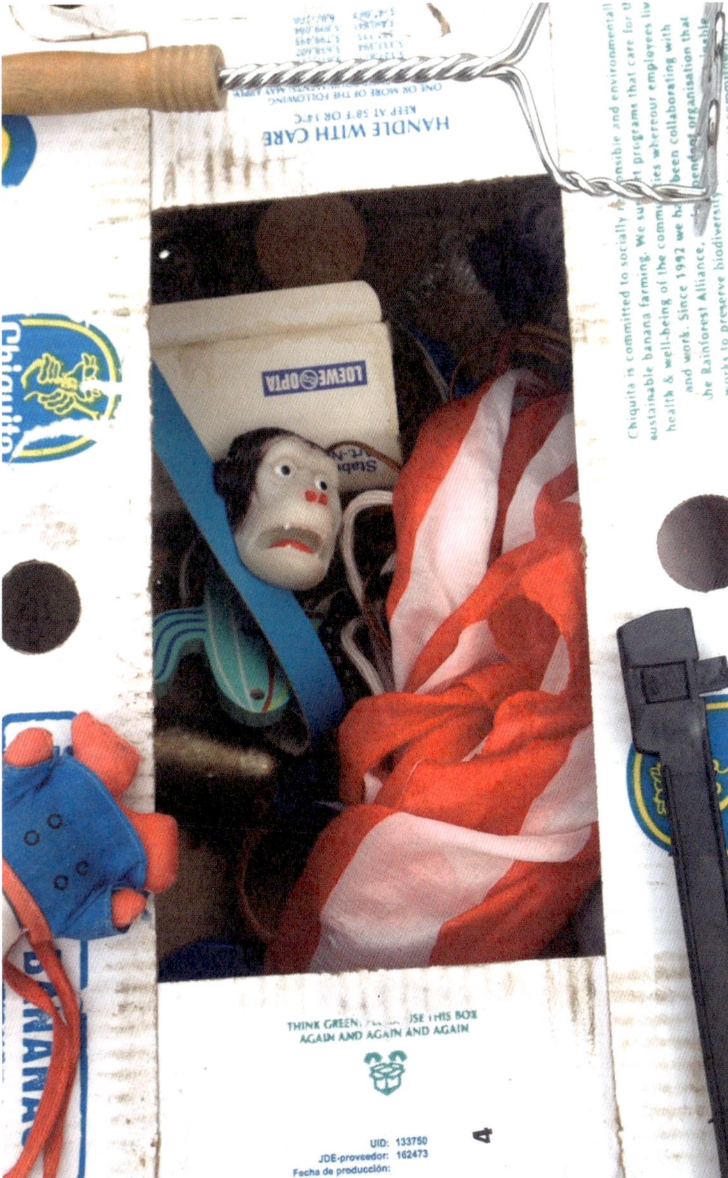
HANDLE WITH CARE
AGAIN AND AGAIN AND AGAIN
UID: 133750
JDE-proveedor: 162473
Fecha de producción:

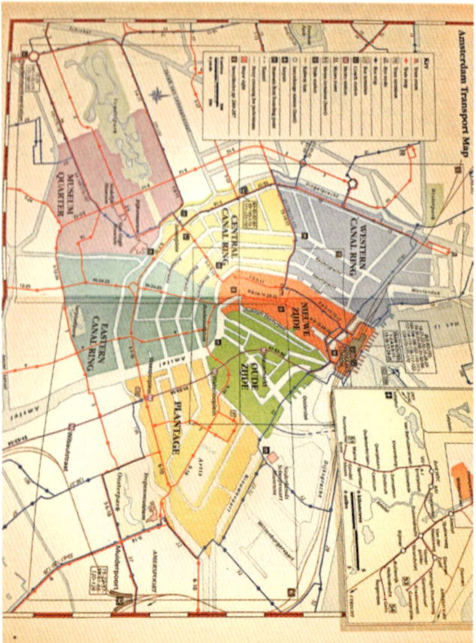
Amsterdam Transport Map
WESTERN CANAL RING
CENTRAL CANAL RING
NIEUWE ZIJDE
OUDE ZIJDE
EASTERN CANAL RING
MUSEUM QUARTER
PLANTAGE

40-PF-KT

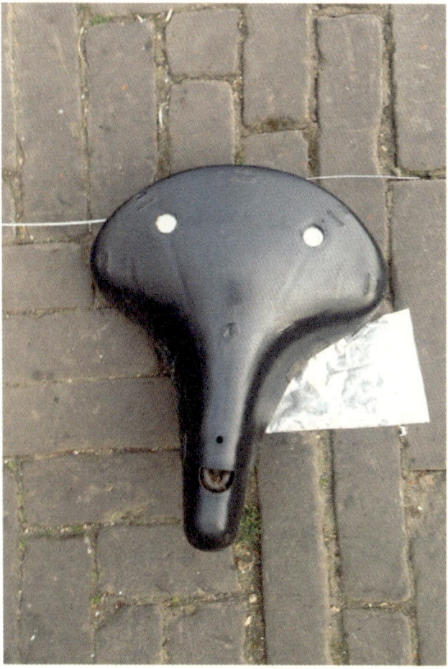

WILLEM FREDERIK
HERMANS
MALLE HUGO
Vermaningen
en beschouwingen
De Bezige Bij

DVD
Pound
QUEENS #3

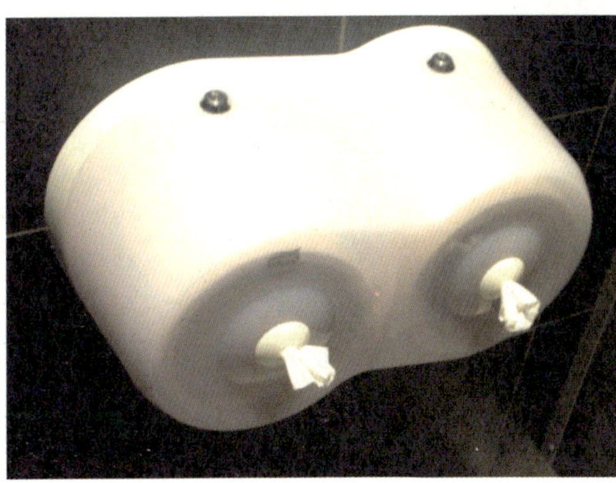

3.7V
BL-4B
NOKIA
MOSCHINO
AB553446BU

PEUGEOT
PA PINKELMAN PUZZEL 3
63 PIECES
MB PUZZLE
100
Pinkeltje
Junior
Diset
Junior
4•7
jaar•jahre•ans
MAX
Geheugentrainer
Uw dagelijkse portie hersengymnastiek
www.maxgeheugentrainer.nl
1-6 SPELERS
LEEFTIJD 12+

Tafeltje
5,=
Stoofje
4.50
MAAT
39
3,=
MARIPÉ
Mini Rokjes
2.50
PER stuk

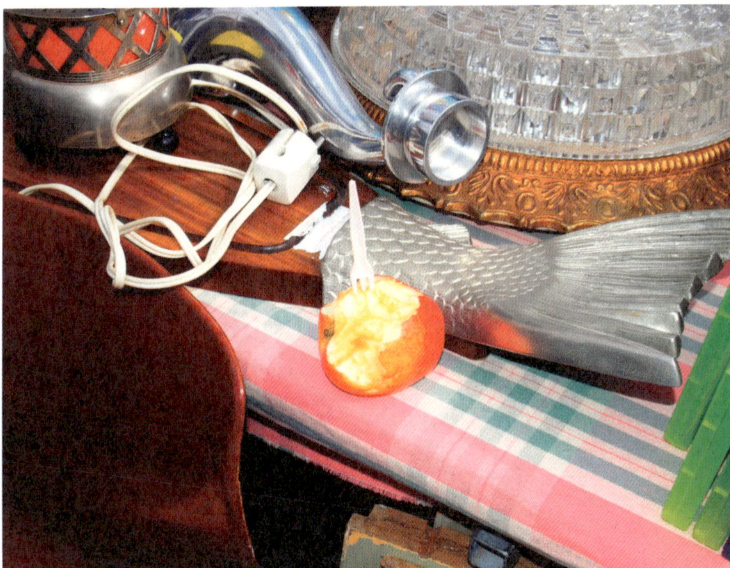

B. BIJVOETBRUG

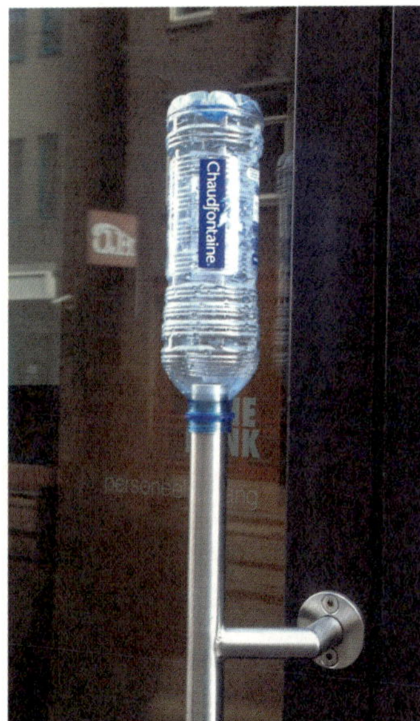
Chaudfontaine.

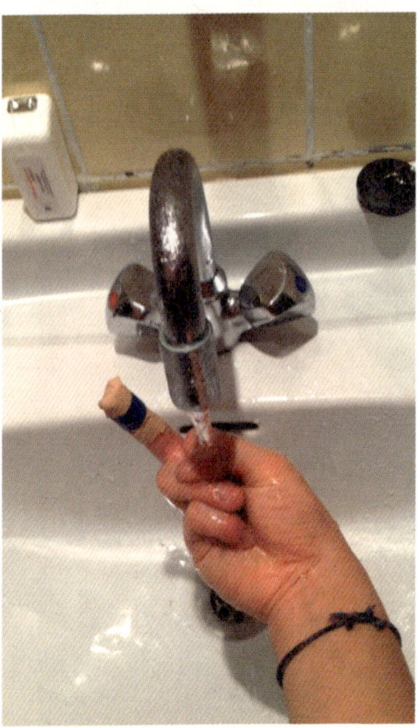

0800 - 024 24 10
VERBODEN AAN TE PLAKKEN
Ciske
de Rat
DE MUSICAL
DELAMAR.NL

FESTOOL

16 STK
50 EURO

ABSOLUT
VODKA
ABSOLUT

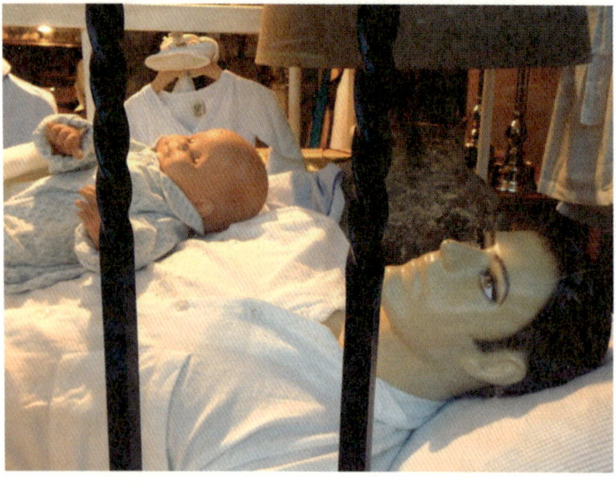

NEE
Géén
ongeadresseerd
reclamedrukwerk
JA
Wél
Huis aan Huis
bladen

109c NEE NEE

A'dam Evening
아'담 이브닝:
암스테르담 인턴 1년의 기록

지은이 이지희

펴낸날 2017년 12월 4일 초판 1쇄

기획 김병인
편집 박진홍
디자인 둘셋
도서관리 박영희
펴낸이 김병인

ISBN 978-89-97225-41-5
세트 정가 18,600원

(주)퓨처미디어 출판 브랜드 caBooks
cakorea.com
cashop.kr
facebook.com/LikeCA
instagram.com/ca.books

이메일 press@cakorea.com
전화 02-852-5412
팩스 02-852-5417